Patativa do Assaré
uma voz do Nordeste

Biblioteca de Cordel

Patativa do Assaré
uma voz do Nordeste

Introdução e seleção
Sylvie Debs

3ª edição

hedra

São Paulo, 2011

Capa
Júlio Dui

Projeto gráfico e editoração
Hedra

Preparação de texto
Iuri Pereira

Revisão
Artesã das palavras
Bruno Oliveira

Ilustrações das orelhas e quarta-capa
José Lourenço

Dados Internacionais de Catalogação na Publicação (CIP)
(Câmara Brasileira do Livro, SP, Brasil)

Assaré, Patativa do, 1909–2002. Patativa do Assaré uma voz do Nordeste/ introdução de Sylvie Debs. — São Paulo: Hedra, 2000. — (Biblioteca de Cordel)

ISBN 978-85-8732-819-9

Bibliografia.
1. Literatura de cordel–Brasil. 2. Literatura de cordel–Brasil–História e crítica. 3. Patativa do Assaré (1909–2002). I. Debs, Sylvie. II. Título. III. Série.
00-0464 CDD-398.20981

Índices para catálogo sistemático:
1. Brasil: Cordelistas: Biografia e obra: Literatura folclórica 398.20981
2. Brasil: Literatura de cordel: História e crítica: Folclore 398.20981

[2011]

EDITORA HEDRA
R. Fradique Coutinho, 1139, subsolo
CEP 05416-011, São Paulo-SP, Brasil
+55-11-3097-8304
editora@hedra.com.br
www.hedra.com.br

Foi feito depósito legal.

BIBLIOTECA DE CORDEL

A literatura popular em verso passou por diversas fases de incompreensão e vicissitudes no passado. Ao contrário de outros países, como o México e a Argentina, onde esse tipo de produção literária é normalmente aceita e incluída nos estudos oficiais de literatura – por isso poemas como "La cucaracha" são cantados no mundo inteiro e o herói do cordel argentino, Martín Fierro, se tornou símbolo da nacionalidade platina –, as vertentes brasileiras passaram por um longo período de desconhecimento e desprezo, devido a problemas históricos locais, como a introdução tardia da imprensa no Brasil (o último país das Américas a dispor de uma imprensa), e a excessiva imitação de modelos estrangeiros pela intelectualidade.

Apesar da maciça bibliografia crítica e da vasta produção de folhetos (mais de 30 mil folhetos de 2 mil autores classificados), a literatura de cordel – cujo início remonta ao fim do século XIX – continua ainda em boa parte desconhecida do grande público, principalmente por causa da distribuição efêmera dos folhetos. E é por isso que a Editora Hedra se propôs a selecionar cinquenta estudiosos do Brasil e do exterior que, por sua vez, escolheram cinquenta poetas populares de destaque e prepararam um estudo introdutório para cada um, seguido por uma antologia dos poemas mais representativos.

Embora a imensa maioria dos autores seja de origem nordestina, não serão esquecidos outros polos produtores de poesia popular, como a região sul-riograndense e a antiga capitania de São Vicente, que hoje abrange o interior de São Paulo, Norte do Paraná, Mato Grosso, Mato Grosso do Sul, parte de Minas Gerais e Goiás. Em todos esses lugares há poetas populares que continuam a divulgar os valores de seu povo. E isso sem nos esquecermos do Novo Cordel, aquele feito pelos migrantes nordestinos que se radicaram nas grandes cidades como Rio de Janeiro e São Paulo. Tudo isso resultará em um vasto panorama que nos permitirá avaliar a grandeza da contribuição poética popular.

Acreditamos, assim, colaborar para tornar mais bem conhecidos, no Brasil e afora, alguns dos mais relevantes e autênticos representantes da cultura brasileira.

Dr. Joseph M. Luyten (1941–2006)

Doutor pela USP em Ciências da Comunicação, Joseph Luyten foi um dos principais pesquisadores e estudiosos da literatura de cordel na segunda metade do século XX. Lecionou em diversas universidades, dentre as quais a Universidade de São Paulo, a Universidade de Tsukuba (Japão) e a Universidade de Poitiers (França), onde participou da idealização do Centro Raymond Cantel de Literatura Popular Brasileira. Autor de diversos livros e dezenas de artigos sobre literatura de cordel, reuniu uma coleção de mais de 15 mil folhetos e catalogou cerca de 5 mil itens bibliográficos sobre o assunto.

Joseph Luyten idealizou a Coleção Biblioteca de Cordel e a coordenou entre os anos de 2000 e 2006, período em que publicamos 22 volumes. Os editores consignam aqui sua gratidão.

SUMÁRIO

INTRODUÇÃO

> A literatura popular existe em outros países, mas nenhuma é tão relevante quanto a do Nordeste [...]. Aqui, no Nordeste, ela resiste e se transforma cada vez mais.
>
> Raymond Cantel[1]

Patativa do Assaré, cujo verdadeiro nome é Antônio Gonçalves da Silva, nascido no dia 5 de março de 1909 na Serra de Santana, pequena propriedade rural da prefeitura de Assaré, ao sul do estado do Ceará, inclui-se na linhagem dos cantadores sertanejos, continuando essa tradição. Oriundo de um meio muito modesto, descobre a literatura por meio dos folhetos[2] de cordel[3] e dos cantadores, repentistas e violeiros[4] do Nordeste. Casado, pai de nove filhos, dedicou sua vida ao trabalho nos campos de Assaré. No dia 23 de março de 1995, o presidente Fernando Henrique Cardoso rendeu uma homenagem pública ao poeta popular, atualmente cego, conferindo-lhe a medalha

1 Em *La litterature populaire brésilienne*, p. 16.

2 Folhetos: poemas narrativos divulgados sob a forma de livretos de oito, dezesseis e, mais raramente, trinta e duas páginas. Cf. Julie Cavignac, "Mémoires en mirior", p. 50.

3 Cordel vem do provençal *corde*; literatura de cordel: nome dado pelos pesquisadores dos folhetos de feira. Cf. Julie Cavignac, op. cit., p. 49.

4 Cantadores de rua e de feiras acompanhados de uma viola de dez cordas, improvisadores de versos que dão conselhos em alexandrinos, hexassílabos ou pentassílabos e contam histórias em sextilhas, quadras ou sonetos. Cf. Véronique Mortaigne, "Poètes-reporters et menteurs professionnels".

José de Alencar quando foi a Fortaleza para a celebração de seu octogésimo sexto aniversário.[5] Nessa ocasião, foi lançado o disco *Patativa do Assaré: 85 anos de poesia.* Patativa do Assaré, figura emblemática da poesia oral, tradicional e popular, graças à sua memória impressionante, recitou versos que celebram as grandezas e as misérias do sertão, e cantou, acompanhado por Raimundo Fagner, entre outros, o célebre "Vaca estrela e Boi fubá" (símbolo da aflição do sertanejo diante das amarguras do destino e da rudeza de sua exploração), que contribuíra para sua notoriedade nacional nos anos 1970. A justaposição deliberada de alguns elementos de uma sucinta biografia põe em perspectiva a denominação "mestre da poesia popular", conferida pelo ensaísta e cineasta Rosemberg Cariry, que contribuiu largamente para a divulgação de sua obra.[6] Assim, por meio da evocação do itinerário pessoal do poeta e da análise de seus textos mais representativos, propomo-nos a apresentar as características essenciais da poesia popular, examinada aqui em uma dimensão mais larga, aquela da cultura popular nordestina.

Primeiro ponto de amarração de nosso estudo, o trabalho que Raymond Cantel – primeiro pesquisador francês a se interessar pelo cordel – conduziu durante longos anos para a descoberta, o conhecimento, o estudo e a conservação da literatura de cordel. Ele percorreu regularmente o Brasil a partir de 1959 para recolher textos de repentistas, o que lhe valeu o título de "embaixador itinerante", outorgado pelos repentistas da Bahia.[7] Segundo ponto, a aproximação de culturas populares proposta por Jean-Claude Passeron, que tenta ir além da atitude relativista (até mesmo populista), assim como da atitude

[5] Arlen Medina, "Presidente condecora Patativa e recebe pedido pela refinaria".

[6] Rosemberg Cariry, "Patativa do Assaré, um mestre da poesia popular".

[7] Annick Moreau, "Introdução", em Raymond Cantel, *op. cit.*, p. 14.

legitimista (até mesmo miserabilista).[8] Terceiro ponto, nosso encontro pessoal com o poeta, em Assaré, que nos concedeu diversas entrevistas e nos proporcionou a ocasião de assistir às suas improvisações.

UMA APROXIMAÇÃO DA POESIA POPULAR

A denominação "poesia popular" foi muitas vezes associada a um certo número de representações negativas que a situam ao lado da literatura menor, em oposição à Literatura. As conotações mais correntes que lhe são conferidas são aquelas da simplicidade dos temas abordados e das ideias tratadas, facilidade de versificação e banalidade das rimas, ingenuidade dos sentimentos expressos, falta de originalidade e criatividade, pobreza de vocabulário, riqueza estilística limitada, simbólica indigente.[9] É nesses termos que Arthur Rimbaud (1854–1891) confessa seu interesse pela arte popular:

> Eu amava as pinturas idiotas, estofos sobre portais, cenários, lonas de saltimbancos, tabuletas, estampas coloridas populares; a literatura fora de moda, latim de igreja, livros eróticos sem ortografia, romances de nossas avós, contos de fadas, livrinhos infantis, óperas velhas, estribilhos piegas, ritmos ingênuos.[10]

Essa concepção se inscreve numa tradição romântica que compara o povo e a expressão artística e popular a uma imagem errônea, visto que idealizada: à imagem de um povo bom, bonachão, trabalhador e virtuoso. De sua parte, o escritor e filósofo alemão J.G. Herder (1774–1803), um dos teóricos do movimento romântico Sturm und Drang, havia defendido, tanto de um

[8] Claude Grignon & Jean-Claude Passeron, *A propos des cultures populaires*, p. 183.
[9] *Idem*, p. 17.
[10] Arthur Rimbaud, *Uma temporada no inferno & Iluminações, alquimia do verbo*, p. 63.

ponto de vista filosófico como literário, uma concepção da história segundo a qual os diferentes tipos de civilizações e de culturas seriam a expressão da alma popular, opondo ao ideal clássico – resultado do respeito a regras claramente enunciadas e reverente aos modelos da Antiguidade greco-romana – o gênio popular, expressão natural e espontânea. A poesia popular, segundo ele, é "a obra anônima do Homem Natural, irmão histórico do Bom Selvagem: ela é a 'Naturpoesia' ".[11] Nessa ideia, já estava presente a aproximação proposta por Montaigne (1553–1592), persuadido de que o povo era capaz de se exprimir espontaneamente:

A poesia natural e puramente natural possui ingenuidade e graça, por onde ela se compara à principal beleza da poesia perfeita segundo a arte: como se vê em vilarejos da Gasconha e nas canções que se nos relatam sobre nações que não possuem conhecimento de ciência alguma, tampouco de escrita".[12]

Em outros termos, a poesia popular existiria ao largo de toda aprendizagem ou respeito às regras acadêmicas e apresentaria êxitos dignos de serem reconhecidos.

No contexto nordestino, é preciso recordar que a poesia popular inscreve-se na tradição oral dessa região do interior: um de seus principais agentes, o cantador, proveniente do meio rural e em geral analfabeto, improvisa ou narra, graças à sua memória prodigiosa,

a história dos homens famosos da região, os acontecimentos maiores, as aventuras de caçadas e de derrubas de touros, enfrentando os adversários nos desafios que duram horas e noites inteiras, numa exibição assombrosa de imaginação, brilho e singularidade na cultura tradicional.[13]

[11] Claude Roy, *Trésor de la poésie populaire*, p. 8.

[12] *Idem*, p. 8.

[13] Luís da Câmara Cascudo, *Dicionário do folclore brasileiro*, p. 237.

A versificação utilizada, em geral a sextilha hexassilábica ou a décima heptassilábica de rimas contínuas,[14] parece ser mais a expressão de uma técnica de memorização que a expressão de uma forma poética erudita, a serviço da transmissão de um "saber simbólico: ciência, cultura popular, tradição". [15] Daí, a própria escansão dos poemas é muitas vezes surpreendente pela falta de preocupação expressiva:

> Nenhuma preocupação de desenho melódico, de música bonita. Monotonia. Pobreza. Ingenuidade. Primitivismo. Uniformidade... Não se guarda a música de colcheias, martelos e ligeiras. A única obrigação é respeitar o ritmo do verso. [16]

A declamação se atém ao essencial: a narrativa dos acontecimentos.

A convivência com os chamados textos de poesia clássica, assim como a leitura da obra de Patativa do Assaré, permitem pôr em perspectiva essa primeira aproximação e interrogar a conformidade dessas conotações evocadas precedentemente. Sem dúvida, conviria debruçar-se mais adiante sobre as temáticas abordadas para perceber que sob essa aparente ingenuidade esconde-se uma profunda experiência da vida cotidiana que confere uma dimensão simbólica determinante à sua obra. Com efeito, como ressalta Claude Roy,

> o que nos toca do nosso folclore não é ele ser a obra 'de quem não sabe', mas, ao contrário, nascer do sofrimento e da alegria, da malícia e do coração daqueles que sabem muito bem. Eles sabem o que é ter fome ou dor de amor, ir à guerra quando não se queria ou trabalhar com a última das forças. E estes encontram muito exatamente, ao

[14] Raymond Cantel, *op. cit.*, pp. 49 e 97.

[15] Julie Cavignac, op. cit., p. 57.

[16] Luís da Câmara Cascudo, *op. cit.*, p. 237.

longo do tempo, palavras insubstituíveis para manifestar sua dor ou sua felicidade, para embalar suas mágoas ou exprimir sua cólera.[17]

Restituindo-se a obra de Patativa do Assaré ao contexto sertanejo, considerando a influência das tradições dos trovadores, dos repentistas, dos violeiros e da literatura de cordel,[18] é forçoso reconhecer na voz do poeta popular o eco dos sofrimentos, das alegrias e das desgraças da população nordestina do sertão:

> Poesia telúrica, colhida da terra, dos roçados, como se estivesse apanhando feijão, arroz, algodão, ou quebrando milho e arrancando batata e mandioca. Sua inspiração não é fruto de estudos. Ela germina dentro de si como a semente nas entranhas da terra.[19]

Testemunha então de um modo de vida, mas também reivindicação de valores próprios, elaboração de uma identidade. Por isso, ele é apresentado como o "verdadeiro, autêntico e legítimo intérprete do sertão".[20] Com efeito, uma das dimensões mais marcantes da obra de Patativa do Assaré é a preocupação de descrever a vida cotidiana do sertão e, com esse testemunho, protestar o reconhecimento da dignidade, da integridade e da modéstia do camponês sertanejo, em oposição à arrogância do cidadão urbano ou do brasileiro do Sul. Parece que a afirmação de sua própria identidade passa mais frequentemente pelo confronto com o outro, como chama atenção o título da compilação: *Cante lá que eu canto cá.* Esta última, composta a partir de uma seleção de textos feita pelo próprio autor com a intenção de definir suas preferências literárias, traz o seguinte subtítulo: Filosofia de um trovador nordestino. É, portanto, referindo-nos

[17] Claude Roy, *op. cit.*, p. 17.

[18] Julie Cavignac, *Figures et personnages de la culture nordestine dans la litterature de cordel au Brésil*, em Caravelle, *Cadernos do mundo hispânico e luso-brasileiro*, p. 69: "es una literatura de pobres para pobres sobre todo [...]".

[19] Pe. Antônio Vieira, "Patativa do Assaré", em *Ispinho e Fulô*, p. VII.

[20] Plácido Cidade Nuvens, *Patativa e o universo fascinante do sertão*, p. 15.

de uma só vez ao conjunto dos poemas publicados e à vida de Patativa do Assaré que tentaremos depreender as características próprias da sua obra.

REFERÊNCIAS BIOGRÁFICAS

Uma infância sertaneja

Segundo filho de um agricultor pobre da região do Cariri, havendo perdido muito jovem a visão de um dos olhos em consequência de uma doença, órfão de pai aos oito anos, Antônio Gonçalves da Silva é, naturalmente, conduzido a ajudar sua mãe e sua família participando do trabalho no campo, meio de subsistência tradicional para os habitantes dessa região. Escolarizado durante seis meses quando tinha 12 anos, ele reconhece que seu mestre, embora extremamente atencioso e generoso, era precariamente letrado e não sabia ensinar a pontuação. É assim que ele aprende a ler sem ponto nem vírgula, como se o ritmo das palavras fosse dado unicamente pela voz. Essa estranha aprendizagem, em realidade, é apenas a expressão profunda da oralidade que caracteriza a cultura popular e a tradição dos poetas-repórteres.[21] Como a maior distração do jovem Antônio, desde seu retorno dos campos, era ler ou escutar seu irmão mais velho ler folhetos da literatura de cordel, ele descobriu muito cedo sua vocação poética e iniciou, ao contato desta literatura, a composição de versos:

> De treze a quatorze anos comecei a fazer versinhos que serviam de graça para os serranos, pois os sentidos de tais versos eram o seguinte:

[21] Véronique Mortaigne, op. cit.

brincadeiras[22] de noite de são João, testamento do Juda,[23] ataque aos preguiçosos que deixavam o mato estragar os plantios da roça etc.[24]

Aos 16 anos, adquire uma viola de dez cordas e decide fazer improvisações segundo a tradição sertaneja dos violeiros, tratando de todos os assuntos concernentes à sua experiência profissional, segundo o modelo motivo-glosa. Põe-se a cantar por prazer, com a esperança de ser convidado para as festas – comemoração de santos, casamentos – e participar, assim, da vida local:

> A poesia sempre foi e ainda está sendo a maior distração da minha vida. O meu fraco é fazer verso e recitar para os admiradores, porém nunca escrevo meus versos. Eu os componho na roça, ao manejar a ferramenta agrícola e os guardo na memória, por mais extenso que seja.[25]

confessa ele. Assim, se continuou a entregar-se às improvisações pelo prazer, a poesia que ele destina à transcrição está intimamente ligada ao ritmo do trabalho cotidiano, acompanhando os gestos dos trabalhos do campo e composta mentalmente ao longo dos anos, servindo-se de capacidades impressionantes de memorização.

Um poeta itinerante

Aos vinte anos, por ocasião de uma visita ao vilarejo de um primo materno, encantado pelas improvisações de Antônio, pediu autorização à sua mãe para seguir com ele para o estado do Pará, propondo-se, de sua parte, a auxiliar nas necessidades

[22] Ver jogos e divertimentos poéticos em Luís da Câmara Cascudo, *op. cit.*, p. 188.

[23] Sátira de personagens locais célebres, o sábado Santo. Cf. Luís da Câmara Cascudo, *op. cit.*, p. 493.

[24] Patativa do Assaré, "Autobiografia", em *Inspiração nordestina*, p. 13.

[25] *Idem, ibidem.*

do jovem e consentir que este retornasse a seu lar sempre que quisesse. Foi nessa ocasião que conheceu o escritor cearense José Carvalho de Brito, que lhe consagrou um capítulo em seu livro intitulado *O matuto cearense e o caboclo do Pará*. Além disso, este publica os primeiros textos de Antônio Gonçalves da Silva no *Correio do Ceará*, no qual colaborava. Esses textos foram acompanhados de comentários nos quais José Carvalho de Brito comparava a poesia espontânea de Antônio Gonçalves da Silva à pureza do canto da patativa, pássaro do Nordeste. Foi assim que nasceu o pseudônimo de Patativa.[26] E, para distingui-lo de outros improvisadores, acrescia-se o topônimo de sua vila natal: Assaré. Patativa do Assaré empreendeu então uma viagem a Belém, e em seguida a Macapá, onde ficou dois meses. Julgando a vida relativamente insípida, e não apreciando o fato de deslocar-se sistematicamente por barco para ir de uma casa à outra, decidiu retornar a Belém, onde continuou suas improvisações em companhia de outros poetas como Francisco Chapa, Antônio Merêncio e Rufino Galvão. Ao termo de cinco meses, não resistindo mais aos ataques de saudade, decidiu voltar a viver no Ceará.

A consagração oficial

Em seu retorno, José Carvalho de Brito entregou-lhe uma carta de recomendação para obter uma audiência com a dra. Henriqueta Galeno, filha do poeta Juvenal Galeno. Ele foi recebido com honras dignas de um "poeta de classe, um poeta de cultura, um poeta erudito"[27] e improvisou, em seu salão, acompanhado de sua viola. De volta a Assaré, retomou os trabalhos do campo, aos quais dedicou o resto de sua vida. O latinista José Arraes de

[26] Rosemberg Cariry, "Patativa do Assaré: sua poesia, sua vida", p. 34.
[27] *Idem*, p. 34.

Alencar, que o ouvira improvisar na Rádio Araripe, pergunta-lhe por que não publicava seus textos, tão "dignos de atenção e próprios de divulgação".[28] Patativa do Assaré argumentou que não era mais que um pobre agricultor e que não dispunha, portanto, de meios para publicar sua obra. José Arraes de Alencar propõe-lhe uma solução: ele se encarregaria das negociações com o editor Borçoi, no Rio de Janeiro, e Patativa do Assaré lhe reembolsaria os custos da impressão com o produto da venda dos livros. É assim que surge a sua primeira compilação, *Inspiração nordestina*, em 1956. No prefácio, José Arraes de Alencar sublinha as qualidades particulares dos poetas nordestinos:

> Nada arranca aos rapsodos nordestinos a admirável espontaneidade, que é um milagre da inteligência, um inexplicável poder do espírito, faculdade portentosa daqueles homens simples e incultos, de cuja boca prorrompem, em turbilhões, os mais inspirados versos, as trovas mais dolentes e sentimentais, ou épicas estrofes, que entusiasmam e arrebatam.[29]

Superado seu primeiro receio de não estar em condições de reembolsar, Patativa do Assaré aceitou. O sucesso da antologia permitiu-lhe uma segunda edição em 1966, enriquecida de novos textos: *Cantos de Patativa*. Nessa ocasião, ele passou quatro meses no Rio de Janeiro; entretanto, a venda de seus livros ocorreu essencialmente no Ceará.

A divulgação da obra

Em 1970, o professor José de Figueiredo Filho publicou uma nova coletânea de poemas acompanhada de seus comentários: o *Patativa do Assaré*. Em 1978, a partir da iniciativa do professor Plácido Cidade Nuvens (que trabalha na Fundação do Padre

[28] *Idem*, p. 35.

[29] José Arraes de Alencar, "Prefácio", em *Inspiração nordestina*, p. 9.

Ibiapina, cuja missão é preservar e divulgar a cultura popular do Cariri), a compilação *Cante lá que eu canto cá* – considerada até hoje a compilação da maturidade – foi publicada pela editora Vozes. Em 1988, surge uma nova antologia de textos de Patativa do Assaré, intitulada *Ispinho e Fulô*, sob a direção de Rosemberg Cariry. Essa edição compreende uma seleção de textos publicados nos folhetos, jornais, revistas ou discos, produtos de numerosos recitais feitos pelo país. Mais recentemente, na ocasião de seu 86° aniversário, a Secretaria de Cultura do Estado do Ceará publicou uma coletânea de textos em homenagem ao poeta, *Aqui tem coisa*, que salienta sua originalidade, sua ancoragem na oralidade, graças à prática da improvisação e à técnica de desafios poéticos:

> Métrica, ritmo e rima fluem com a naturalidade com que enuncia seu canto, o que ele diz é transcrito para o papel, mas continua fiel aos códigos de transmissão oral. É como se ele estivesse em permanente peleja, não contra um rival de ofício, que ninguém chegaria à sua estatura, mas com a própria poesia. Ele é o seu opositor e o seu duplo. A oralidade não seria decorrente de sua cegueira, não que ele também não retome uma tradição que passa por Homero, Aderaldo e Borges.[30]

Assim, Patativa do Assaré, como mestre da poesia oral, nunca tentou publicar um texto com seus próprios meios, mas foi sempre publicado pelos admiradores de sua obra. Da mesma forma, ele continua a ser solicitado tanto pelos amadores como pelos especialistas da cultura popular, não somente brasileiros mas também estrangeiros, que se interessam ao mesmo tempo pelo processo de criação e pela transmissão dessa tradição nordestina.

30 Gilmar de Carvalho, "Prefácio", em *Aqui tem coisa*, p. 8.

APRESENTAÇÃO DA OBRA

Patativa do Assaré, um poeta da oralidade

Na condição de herdeiro da tradição nordestina, os primeiros esboços da obra de Patativa do Assaré, improvisações e encomendas, conforme ressaltamos, são marcados pelo aspecto lúdico e comemorativo. Poemas de circunstância, associados aos acontecimentos sociais, religiosos, em relação direta com o presente, únicos e efêmeros: festas de santos, casamentos, aniversários. Poesia improvisada a partir de um esboço tradicional, poesia repetitiva por suas formas e temas, personalizada em função de seu destinatário. Poesia declamada ou cantada, ela participa plenamente da vida da comunidade:

> age falando, cantando, representando, dançando no meio do povo, nos terreiros das fazendas, nos pátios das igrejas nas noites de 'novena', nas festas tradicionais do ciclo do gado, nos bailes do fim das safras de açúcar, nas salinas festas dos 'padroeiros', potirum, ajudas, bebidas nos barracões amazônicos, espera de 'Missa do Galo'; ao ar livre, solta, álacre, sacudida, ao alcance de todas as críticas de uma assistência que entende letra e música, todas as gradações e mudanças do folguedo.[31]

Convém ressaltar que Patativa do Assaré, entregando-se sempre a esse gênero de improvisações, tem uma parte importante da obra que não foi nem será nunca transcrita. Esse aspecto efêmero e circunstancial é, com efeito, uma das características da poesia oral tradicional.

Quando se descobre a transcrição dos poemas de Patativa do Assaré, o primeiro elemento determinante da oralidade da obra é o recurso sistemático do emprego de uma língua falada, que retoma o estilo e a pronúncia popular, a saber, a utilização do que José Arraes de Alencar definiu como língua cabocla:

[31] Luís da Câmara Cascudo, *Literatura oral no Brasil*, p. 27.

a linguagem sertaneja, de tonalidade própria, fértil em metafonias e metáteses, avessa aos esdrúxulos, com frequente abrandamento ou amolecimento e vocalização de consoantes e grupos consonantais, com a eliminação das letras e fonemas finais.[32]

Os primeiros versos de "Coisas do meu sertão" são assim transcritos:

Seu dotô que é da cidade
Tem diproma e posição
E estudou derne minino
Sem perdê uma lição

por

Senhor Doutor que é da cidade
Tem diploma e posição
E estudou desde menino
Sem perder uma lição

A marca oral e regional era tão intrínseca à primeira compilação que foi publicada com um "Elucidário" que propunha três esclarecimentos diferentes ao leitor: uma simples restituição fonética (*biête* por bilhete ou *muié* por mulher), uma correspondência referencial (cão por diabo) e uma explicação denotativa (tipoia: rede pequena, rede velha). A necessidade desse "Elucidário" é justificada pela observação de José Arraes de Alencar:

a linguagem cabocla – o linguajar da rude gente sertaneja, tão crivado de erros, de mutilações e acréscimos, de permutas e transposições, que os vocábulos, com frequência, se desfiguram completamente, sendo

[32] José Arraes de Alencar, *op. cit.*, p. 11.

imprescindível um elucidário para o leitor não habituado a essas formas bárbaras e, ao mesmo tempo, refeitas de típico e singular sabor.[33]

Essas marcas da oralidade confirmam a origem rural do poeta e reforçam o caráter sertanejo do universo descrito. O registro de língua utilizado, a alteração das palavras e o vocabulário regional conferem a esses textos todo o sabor e originalidade da língua do interior das terras, do sertão.

Uma outra marca significativa dessa oralidade é a forte presença, muitas vezes desde o título, da função conativa da linguagem: interpelação do ouvinte como *Cante lá que eu canto cá*, interrogações como "Você se lembra?", "Seu Dotô me conhece?", destinação como "Ao leitor", "Aos poetas clássicos", "À minha esposa Belinha". Da mesma forma, os primeiros versos de seus poemas instauram, geralmente, o ritual discursivo, seja como forma de indagação: "Querem saber quem eu sou?" (*Aqui tem coisa*, p. 63); seja sob forma de oração: "Quero que me dê licença para uma história contá." (*Cante lá que eu canto cá*, p. 47); seja por uma saudação: "Boa noite, home e menino e muié dêste lugá." (*Inspiração nordestina*, p. 27); seja ainda por uma ordem: "Vem cá, Maria Gulora, escuta, que eu vou agora uma coisa te contá." (*Idem*, p. 47). Enfim, a invocação do interlocutor abre diversos poemas: as formas mais utilizadas são "Seu Moço" (*Idem*, pp. 19, 51, 99) e "Seu Dotô" (*Idem*, pp. 60, 66 e 69). Encontram-se variantes sob a forma de "Meu filho querido" (*Idem*, p. 132), "Meu amigo" (*Idem*, p. 209), "Minha gente" (*Idem*, p. 206), "Sinhô Dotô" (*Idem*, p. 203).

A relação de vizinhança está sublinhada pelo emprego do tom familiar: *meu*, que indica igualmente o enraizamento do poeta a seu meio. Esses termos de endereçamento traduzem ao mesmo tempo o respeito de uma hierarquia social estrita,

[33] *Idem, ibidem.*

em uma sociedade onde a taxa de analfabetismo é elevada. O poeta, como personagem familiar, é originário do mesmo meio, dirigindo-se em pé de igualdade a seus interlocutores, seja ao mais rico, ao mais poderoso ou ao mais diplomado, pedindo licença para contar uma história simples à sua maneira – último elemento enfim, todavia essencial, o próprio poeta Patativa do Assaré. Não havendo jamais escrito texto algum e dotado de uma notável capacidade de memorização (é capaz de recitar qualquer uma de suas composições, qualquer seja sua antiguidade), ele continua a praticar a improvisação em todas as circunstâncias:

> A agilidade do improviso, o inesgotável repertório de situações, as respostas instantâneas às sugestões recebidas acentuam o repentista à capela [...]. Métrica, ritmo e rima fluem com a naturalidade com que enuncia seu canto. O que ele diz é transcrito para o papel, mas continua fiel aos códigos da transmissão oral[34].

É frequente que o poeta, após perguntar o nome e algumas informações sobre as pessoas que vêm vê-lo, improvise um pequeno poema no qual traça um retrato de seu visitante, apesar de sua cegueira. Muito atento durante as discussões, sua habilidade lhe permite apoderar-se da personalidade de seu interlocutor. A voz permanece para ele como instrumento privilegiado do conhecimento e da comunicação.

Patativa do Assaré, um poeta popular

Fiel à tradição dos poetas de cordel, ele mesmo autor de cordéis, Patativa do Assaré compõe uma poesia essencialmente narrativa, que testemunha a história cotidiana do sertanejo e torna-se, de qualquer maneira, "o mediador encarregado de traduzir o

[34] Gilmar de Carvalho, *op. cit.*, p. 8.

mundo exterior aos sertartejos".[35] Essa obra, "nascida no seio do povo, aplaudida e amada por esse mesmo povo",[36] coloca-se ao lado das referências literárias do Nordeste como *A bagaceira*, *Pedra bonita*, *Vidas secas*, *O quinze*, *Grande sertão: veredas*,[37] na medida em que o autor contribui para a elaboração de uma imagem da identidade nordestina e de representações simbólicas que nos permitem compreender melhor os valores fundamentais do sertanejo através das personagens encenadas".[38] Se a origem social do poeta e a origem social de seu público são determinantes para qualificar essa poesia como popular, é preciso igualmente considerar outros critérios que permitam caracterizar sua obra: os assuntos tratados, a função do poeta e a filosofia empregada. Ao longo da leitura de títulos de cordéis recentemente editados pela URCA,[39] constata-se a presença de numerosos temas habitualmente abordados na literatura popular nordestina: o ciclo religioso e o messianismo, a tradição épica, a descrição da vida do Nordeste com seus flagelos, caatinga, inundações, secas, migrações: "Saudação ao Juazeiro do Norte", "História de Aladim e a lâmpada maravilhosa", "ABC do Nordeste flagelado", "A triste partida", "Emigração"...[40] Uma leitura mais abrangente da obra descobre também a presença de personagens tradicionais do sertão: o vaqueiro, o caboclo, o roceiro, o caçador, o mendigo, sem esquecer os animais familiares, como o cavalo, o boi e o cachorro. É preciso ressaltar, enfim,

[35] Julie Cavignac, op. cit., p. 59.

[36] Rosemberg Cariry, "Patativa do Assaré...", p. 1.

[37] Obras de José Américo de Almeida, José Lins do Rego, Graciliano Ramos, Raquel de Queiroz e Guimarães Rosa, respectivamente.

[38] Plácido Cidade Nuvens, *op. cit.*, pp. 33–36.

[39] URCA: Universidade Regional do Cariri, situada em Juazeiro do Norte, um dos mais importantes centros de impressão da literatura de cordel.

[40] Raymond Cantel, *op. cit.* Ver o artigo "La Litterature populaire du Nordeste brésilienne", pp. 79-105.

a grande variedade de personagens que habitam os poemas e que são nomeados de forma tradicional e popular, seja por referência ao pai (Zé Geraldo), à mãe (Zé de Ana), ou à atividade profissional (Ciça do Barro Cru).[41] Entretanto, nem as narrativas das aventuras de um desses habitantes do sertão ("Brosogó, Militão e o Diabo", "As façanhas de João Mole", "Vicença e Sofia", ou "O castigo de mamãe"), tampouco a descrição das dificuldades encontradas pelo sertanejo são jamais apresentadas fora de uma preocupação educativa: divertindo o ouvinte ou o leitor, o poeta tem por tarefa instruí-lo, transmitindo valores morais. Do ponto de vista da função determinada para a poesia popular, encontramos paradoxalmente um dos componentes do ideal clássico: "agradar e instruir". Quanto à estrutura dos textos, eles estão muito próximos do modelo da fábula: conduzem o leitor à abertura, narram, formulam a moral no desfecho. Com efeito, os primeiros versos focalizam as intenções do autor ou os valores morais que ele se propõe a transmitir aos receptores, como na abertura de "As façanhas de João Mole":

> Neste pequenino drama
> O caro leitor verá
> Que dentro de cada homem
> Um pouco de ação está
> E um só homem sem coragem
> No nosso mundo não há.

Essa vontade didática está claramente afirmada, na medida em que os cordéis geralmente terminam com uma evocação direta do leitor e uma lembrança da lição que convém extrair da história escutada. A última estrofe do cordel citado acima encerra-se nestes termos:

[41] Plácido Cidade Nuvens, *op. cit.*, p. 70.

Agora, caro leitor,
Não desaprove o que digo
Todo homem tem coragem
O rico, o pobre e o mendigo
No ponto da hora h
Insulte um, e verá
O mais feroz inimigo.

Os valores morais aos quais se refere Patativa do Assaré não são fundados sobre os princípios teóricos; são ou simples heranças de gerações anteriores, ou fruto direto de uma experiência vivida. Sua concepção do mundo e sua relação com o outro repousam sobre uma crença que se poderia qualificar de humanista ou de cristã, e que corresponde, além disso, à uma realidade cultural nordestina.[42] Assim, a abertura de "Brosogó, Militão e o Diabo" afirma como ponto de partida os seguintes valores:

O melhor da nossa vida
É paz, amor e união
E em cada semelhante
A gente vê um irmão.

Raymond Cantel já havia, por sua vez, sublinhado largamente as intenções moralistas da literatura popular nordestina:

> Os sentimentos tradicionais, a família e o amor do próximo são celebrados, mas trata-se, antes de tudo, de ensinar ao sertanejo, sempre distraindo-o, que se ele não souber resistir aos impulsos de seu temperamento, ele terá de suportar as consequências.[43]

[42] Plácido Cidade Nuvens, *op. cit.*, p. 23.
[43] Raymond Cantel, *op. cit.*, p. 23.

Patativa do Assaré explica a origem de certas composições por essas mesmas razões: melhor que punir um de seus netos desobedientes ou um menino da vizinhança que lhe havia enganado para roubá-lo, ele optou por recorrer à poesia, com o duplo objetivo de expor publicamente aquele que cometeu uma falta (punição que ele julga mais eficaz do que um acerto de contas cara a cara) e ensinando-o, ao mesmo tempo, o perdão e a boa conduta ("Incelência das Cuinhas").[44] Essa atitude de sabedoria popular constitui um ensinamento moral prático que toma suas referências no cotidiano.

É assim que Patativa do Assaré preenche sua função de educador tanto junto às crianças consideradas por ele um elemento fundamental – "A criança, para mim, é a maior riqueza do mundo"[45] –, como junto aos seus compatriotas sertanejos:

> Ele [o poeta] deve empregar a sua lira em benefício do povo, em favor do bem comum. Ele deve empregar a sua poesia numa política em favor do bem comum, uma política que requer os direitos humanos e defende o direito de cada um.[46]

Em um contexto de miséria e analfabetismo largamente propagado, em outros termos, em meio à ausência de estruturas educativas de base, o poeta popular desempenha um papel importante no despertar da consciência cívica e política. Patativa do Assaré afirma sua solidariedade com a luta dos sertanejos pelo reconhecimento de seus direitos e com a reivindicação de uma reforma agrária que lhes permitiria ter um nível de vida mais digno: "A temática social que domina sua poesia está assentada em aspirações universais de justiça e igualdade, sem qualquer refinamento ideológico".[47]

[44] Rosemberg Cariry, "Patativa do Assaré: sua poesia, sua vida", p. 43.
[45] *Idem*, p. 45.
[46] *Idem*, pp. 52 e 104.
[47] Cláudio Cerri, "Canto da terra", p. 49.

Agricultor, ele denuncia a morosidade dos políticos que jamais tentaram eliminar a seca, flagelo maior do Nordeste, que é a origem das constantes migrações de sertanejos:

> A seca pertence ao império da natureza, mas pode ser resolvida pelo homem. Em países de clima igual ou pior que o nosso, o problema de abastecimento de água foi superado. A diferença aqui é que os donos do poder não se interessam pela solução. Eles vivem do problema.[48]

declara Patativa do Assaré. Na coletânea *Cante lá que eu canto cá*, confere uma posição preponderante à questão da terra, e numerosos poemas evocam essa realidade dramática: "O poeta da roça", "Eu e o sertão", "É coisa do meu sertão", "Vida sertaneja", "Caboclo roceiro", "Cabocla da minha terra", "No terreiro da choupana", "A terra é natura", "O retrato do sertão", "Serra de Santana ", "Minha serra", "Coisas do meu sertão", "ABC do Nordeste flagelado". O poeta, com efeito, ergue, em "Terreiro da choupana", não somente um atestado amargo da realidade cotidiana:

> Minha vida é uma guerra
> E duro o meu sofrimento
> Sem tê um parmo de terra:
> Eu não sei como sustento
> A minha grande famia [...]

mas reivindica a necessidade de uma reforma agrária:

> A bem do nosso progresso
> Quero o apoio do Congresso
> Sobre uma reforma agrária
> Que venha por sua vez

[48] *Idem, ibidem.*

Libertar o camponês
Da situação precária.

Ao defender, assim, a principal reivindicação dos habitantes do sertão, ele torna-se verdadeiramente a voz do Nordeste e o símbolo de um processo de reconhecimento dos direitos fundamentais: "Em todas as grandes lutas sociais e políticas do Ceará, Patativa disse: presente".[49] Esse comprometimento faz com que um certo número de poemas – como "Triste partida", "Lição do Pinto", "Vaca Estrela e Boi Fubá" – se tornassem emblemas do povo nordestino, atestando a importância do sucesso que ele alcançou junto aos sertanejos. Com efeito, Patativa do Assaré passou de uma poesia sentimental e lírica para uma poesia de protesto: "uma poesia que pede reforma agrária, reclama contra o abandono do nordestino, contra o sistema de meação vigente no campo, contra a seca".[50]

Patativa do Assaré, uma identidade sertaneja

É verdade que não somente a língua, os personagens e o cotidiano descrito pertencem ao mundo rural sertanejo que Patativa do Assaré viu nascer e viver, mas também as aspirações sociais, as reivindicações políticas e econômicas. O combate que ele conduz é aquele do "caboclo roceiro, do camponês sertanejo, da classe matuta".[51] Com efeito, o elemento mais tocante da identidade sertaneja é essa evocação constante de uma vida extremamente difícil, de uma terra particularmente hostil, de um universo encerrado sobre si mesmo. Patativa do Assaré testemunha de forma direta em "Cante lá que eu canto cá":

49 Rosemberg Cariry, "Patativa do Assaré...", p. II.
50 J.M. Andrade, "Voz do sertão", p. 80.
51 Plácido Cidade Nuvens, *op. cit.*, p. 52.

Cá no sertão eu infrento
A fome, a dó e a misera.
Pra sê poeta divera
Precisa tê sofrimento

ou ainda em "Coisas do meu sertão":

Pois aqui vive o matuto
De ferramenta na mão.
A sua comida é sempre
Mio, farinha e fejão

As numerosas expressões colhidas por Plácido Cidade Nuvens em seu estudo *Universo fascinante do sertão* – expressões referentes a um cotidiano brutal, massacrante, absurdo, asfixiante – traduzem essa luta constante do sertanejo:

> vida apertada, lida pesada, sina tirana, grande labutação, vida de cativo, correr estreito, tormento do triste agregado, vida mesquinha, rojão seguro, gaio duro, situação crua, quebradeira, horrível peleja, aperreio, grande canseira, meu cativeiro, constante lida, batalha danada, verdadeiro inverno, situação mesquinha. Todas estas denominações refletem o abandono, o isolamento, a extrema penúria. Manifestam a tenacidade, a obstinação, a resistência do sertanejo.[52]

A coragem, a paciência, a resistência à fadiga aparecem como atributos fundamentais dos sertanejos. A poesia cabocla, feita de suor, de fome e de fadiga, e nascida dessa miséria, reivindica sua diferença face à poesia de salão, em "O poeta da roça":

Meu verso rasteiro, singelo e sem graça,
Não entra na praça, no rico salão,

[52] Plácido Cidade Nuvens, *op. cit.*, p. 53.

Meu verso só entra no campo e na roça
Nas pobre paiça, da serra ao sertão

Uma das figuras recorrentes dessa afirmação de identidade é a oposição: o sertanejo se determina essencialmente pela diferença. O poema inaugural de sua obra escrita, "Ao leitô" (*Inspiração nordestina*, p. 15), avisa ao leitor que ele vai descobrir uma poesia marcada pela deficiência; a ladainha das negações e das restrições sublinha estilisticamente essa confissão:

Não vá percurá neste livro singelo
Os cantos mais belo da lira vaidosa,
Nem brio de estrela, nem moça encantada,
Nem ninho de fada, nem cheiro de rosa.

Em *Cante lá que eu canto cá*, o poeta sertanejo salienta, sempre por negações anafóricas, a pobreza que o condena ao duro trabalho da terra ("Vida sertaneja"):

Sou matuto sertanejo
Daquele matuto pobre
Que não tem gado nem queijo,
Nem ouro, prata nem cobre

Igualmente, o sistema de negações parece ser a pedra angular de uma percepção desvalorizada de si. Patativa do Assaré tece, paralelamente a isso, uma rede semântica de conotação negativa. No poema "O poeta da roça", apresenta-se como "cantô de mão grossa, poeta das brenha, não tenho sabença, meu verso rasteiro, singelo e sem graça" (*Inspiração nordestina*, p. 16). Em "Seu Dotô me conhece?", ele se define como "o mendigo sem sossego, desgraçado, aquele roceiro sem camisa e sem dinheiro" (*Idem*, p. 69). Em "No meu sertão", Patativa do Assaré salienta sua falta de educação "Inducação eu não tenho" (*Idem*, p. 75), em "Aos poetas clássicos", ele recorda sua origem humilde: "Sou um caboclo roceiro, sem letra e sem instrução" (*Cante lá que eu canto cá*, p. 19). Em "O retrato do sertão", ele recorda que é "poeta de mão calosa, [...] que não conhece cinema, teatro, nem futebol" (*Idem*, p. 238). Em "Emigrante nordestino no Sul do país", ele define seus compatriotas como "vagando constantemente, sem roupa, sem lar, sem pão". Toda descrição, toda desvalorização se faz sempre em referência ao cidadão urbano, ao letrado, ao rico, ao Sul.

Patativa do Assaré propõe uma visão dicotômica do mundo tanto sobre o plano espacial (sertão / cidade ; Nordeste / Sul) como sobre o plano temporal (passado / presente). Na coletânea *Cante lá que eu canto cá*, essa oposição espacial anunciada desde o título se traduz por uma constante recordação das diferenças de identidade. A oposição mundo urbano / mundo rural está construída a partir de diferenças socioculturais e do sistema de valores: educação e saber contra analfabetismo e ignorância; dinheiro e bem-estar contra pobreza e sofrimento; hipocrisia e vaidade contra honestidade e modéstia. Patativa do Assaré rejeita o "poeta niversitaro, poeta de cademia de rico vocabularo cheio de mitologia" ("Aos poetas clássicos"), a quem ele recomenda cantar a cidade que é sua, porque ele teve "inducação, aprendeu munta ciença, mas das coisa do sertão não tem boa esperiênça" ("Cante lá que eu canto cá"). Ao ensino livresco, ele opõe o ensino prático: "Aqui Deus me ensinou tudo, sem de livro precisá" ou a experiência do sertão ("O poeta da roça", "Eu e o sertão", "É coisa do meu sertão", "Vida sertaneja", "Seu Dotô me conhece?", "O vaqueiro").

Assim como faz com o ensinamento moral, as tomadas de posição de Patativa do Assaré são fundadas sobre a experiência:

aquele que não conheceu o sertão na carne, dele não pode falar. A única legitimidade admissível é a de pertencer a seu povo ("Aos poetas clássicos"):

Na minha pobre linguage
A minha lira servage
Canto que a minha arma sente
E o meu coração incerra,
As coisa de minha terra
E a vida da minha gente

Ao dinheiro, opõe a felicidade, assim, em "Ser feliz" ele ressalta que a felicidade "nasceu na simplicidade sem ouro, sem lar nem pão". Opõe os bens materiais à riqueza interior: "Dentro da minha pobreza, eu tinha grande riqueza" ("A morte de Nana"), e fustiga aqueles que são escravos dos bens materiais em detrimento do respeito aos valores humanos ("A escrava do dinheiro"). Com efeito, o sertanejo confere uma importância maior à qualidade das relações humanas ("Vida sertaneja"):

O que mais estima e qué,
é a paz, a honra e o brio,
o carinho de seus fio
e a bondade da muié

Este olhar sobre o mundo, numa perspectiva espacial, recupera também uma oposição passado / presente; tradição / modernidade. A situação do sertanejo – obrigado a abandonar sua terra em função da seca, a ir em direção às cidades do litoral, ou então em direção às cidades do Sul –, é uma posição delicada, na medida em que ele passa sem transição de um mundo rural à escala humana a um mundo urbano onde impera o anonimato. O encontro desses dois universos é, não raro, doloroso e acompanhado de uma volta aos valores tradicionais. As cidades, o progresso e a técnica são acusados de veicular os piores males da civilização: "Mas a civilização faz coisa que eu acho ruim" ("O puxadô de roda"). O Sul, em particular, é tido como a sede da corrupção como em "Emigrante nordestino no Sul do país":

> Nos centros desconhecidos
> Depressa vê corrompidos
> Os seus filhos inocentes,
> Na populosa cidade
> De tanta imoralidade
> E costumes diferentes

Assim, o universo descrito por Patativa do Assaré é percebido como um espelho da realidade. O aspecto quase documental de sua poesia foi salientado por um certo número de críticos, entre os quais Luzanira Rego, segundo a qual sua obra

> reflete em seus poemas todo o mundo visionário e fantasmagórico do caboclo nordestino, pintando, em ácidas estrofes, a realidade de uma região onde o homem e a terra se unem pela força do mesmo abandono.[53]

CONCLUSÃO

O que faz a força e o sabor da poesia de Patativa do Assaré é, sem dúvida, esse vínculo indestrutível entre o poeta, o sertão e o público. O canto só pode nascer da repetição do cotidiano, com seu labor, suas alegrias e sofrimentos. O canto só pode ser plenamente compreendido por aqueles que comungam desse cotidiano e dessas mesmas experiências. A afeição com que é tratado pelos habitantes do sertão que vêm visitá-lo e que pedem para recitar o seu poema preferido; o sucesso

[53] Luzanira Rego, "Patativa do Assaré, poeta das injustiças e do sertão".

que ele encontra durante suas excursões, notadamente junto às comunidades sertanejas do Sul, e os cordéis escritos em sua homenagem são prova irrefutável de que se tornou, por sua vez, um personagem-chave do panteão nordestino. Patativa do Assaré é um poeta popular que, mesmo se no início cantou o sertão de forma essencialmente nostálgica e lírica, tomou consciência das possibilidades de mudança e do impacto que a sua voz podia ter. Embora recebido pelos responsáveis políticos e honrado por sua obra, não cessa de lhes recordar a realidade de onde ele extraiu a sua principal fonte de inspiração. Uma de suas maiores preocupações é um futuro melhor para as gerações que virão. Esse objetivo não pode ser alcançado sem passar por uma melhor educação, e Patativa do Assaré vê no livro o seu auxiliar indispensável, como em "Ao meu afilhado Cainã":

> É por meio da leitura
> Que poderá a criatura
> Na vida desenvolver,
> O livro é companheiro
> Mais fiel e verdadeiro
> Que nos ajuda a vencer

É notável que aquele que representa hoje a tradição oral da forma mais monumental sonhe em continuar sua ação por meio da tradição escrita: sinal dos tempos, evolução das tradições? Pesquisadores e universitários têm lamentado, há alguns anos, o fim da literatura de cordel,[54] avaliando que esse modo de transmissão de conhecimentos não resistirá mais diante dos novos meios de comunicação. Talvez fosse preciso formular de forma diferente o problema, diante do lugar ocupado por Patativa do Assaré: herdeiro de uma forte tradição, logrou transformar seu

[54] Julie Cavignac, "Mémoires en miroir", p. 58.

papel e sua mensagem. O que é, sem nenhuma dúvida, o objeto de uma evolução. É a função do poeta popular, e não sua arte propriamente dita.

Sylvie Debs
Université Robert Schuman – Estrasburgo

BIBLIOGRAFIA DE PATATIVA DO ASSARÉ

Inspiração nordestina, Cantos de Patativa, 2ª ed. ampliada, Rio de Janeiro, 1967.

Cante lá que eu canto cá, filosofia de um trovador nordestino. Petrópolis: Vozes, 1978.

Ispinho e fulô. Fortaleza: Secretaria de Cultura, Turismo e Desporto, Imprensa Oficial do Ceará, 1988.

Aqui tem coisa. Fortaleza: Multigraf, Secretaria da Cultura e Desporto do Estado do Ceará, 1994.

Cordéis Juazeiro do Norte. URCA, Universidade Regional do Cariri.

Balceiro (Patativa e outros poetas de Assaré). Fortaleza: Secretaria de Cultura e Desporto, 1991.

BIBLIOGRAFIA SOBRE PATATIVA DO ASSARÉ

Ensaios críticos

FILHO, Figueiredo. *Patativa do Assaré, Novos poemas comentados.* 1970.

NUVENS, Plácido Cidade. *Patativa e o universo fascinante do sertão.* Fortaleza: Fundação Edson Queiroz, 1995.

Estudos críticos

ALENCAR, José Arraes de. "Prefácio", em *Inspiração Nordestina*, 2ª ed. Rio de Janeiro: 1967.

ALENCAR, F. S. "Patativa do Assaré, poeta compassivo", em *Cante lá que eu canto cá*. Rio de Janeiro: Vozes, 1978.

CARIRY, Rosemberg. "A poesia popular está viva", em *Balceiro*. Fortaleza: 1991, pp. 9–11.

_______. "Patativa do Assaré, um mestre da poesia popular", em *Ispinho e Fulô*. Fortaleza: 1988, pp. I–VI.

CARIRY, Rosemberg & BARROSO, Oswald. "Patativa do Assaré, sua poesia, sua vida", entrevista em *Cultura insubmissa*. Fortaleza: Nação Cariri, 1982.

CAVALCANTE, Raimundo. "Testemunho poético de um tempo", em *Aqui tem coisa*, 2ª ed. Fortaleza: UECE/ RVC, 1995.

CARVALHO, Gilmar de. "Prefácio", em *Aqui tem coisa*. Fortaleza: Multigraf, Secretaria da Cultura e Desporto do Estado do Ceará, 1994.

NUVENS, Plácido Cidade. "Patativa do Assaré, poeta social", em *Cante lá que eu canto cá*. Rio de Janeiro: Vozes, 1978.

VIEIRA, Antônio. "Patativa do Assaré", em *Ispinho e Fulô*. Fortaleza: 1988, pp. VII–XI.

Artigos de imprensa

CARIRY, Rosemberg. "Patativa do Assaré, um lavrador, um poeta do seu povo", em *O Povo*. Fortaleza: 20.out.1977.

CARVALHO, Eleuda de. "Retrato 5x4 do poeta Patativa", em *O Povo*. Fortaleza: 25.mar.1995.

CARVALHO, Gilmar de. "Quem é cego: Patativa ou nós?", em *O Povo*. Fortaleza: 25.mar. 1995.

CERRI, Claudio. "Canto da terra", *Globo rural*. Rio de Janeiro: setembro de 1994.

MEDINA, Arlen. "Presidente condecora Patativa e recebe pedido pela refinaria", em *O Povo*. Fortaleza: 24.mar.1995.

NETO, Lira. "Gosto de ser Cabra-da-Peste", em *O Povo*: Fortaleza, 25.mar.1995.

NUVENS, Plácido Cidade. "Patativa é poesia em estado puro", em *O Povo*. Fortaleza: 25.mar.95.

REGO, Luzanira. "Patativa do Assaré, poeta das injustiças e do sertão", em *Diário de Pernambuco*. Recife: 3.out.1978.

VICELMO, Antônio. "Patativa e o universo fascinante do Sertão", em *Diário do Nordeste*. Fortaleza: 22.out.1995.

Filmes

CARIRY, Rosemberg. *Patativa de Assaré, um poeta camponês*, documentário de curta-metragem. Fortaleza, Brasil: 1979.

________. *Patativa do Assaré, um poeta do povo*, documentário de curta-metragem. Fortaleza, Brasil: 1984.

Bibliografia geral

CANTEL, Raymond. *La litterature populaire brésilienne*. Poitiers: Centre de Recherches Latino-americaines, 1993.

CASCUDO, Luís da Câmara. *Dicionário do folclore brasileiro*. Rio de Janeiro: Ediouro, 1954.

CAVIGNAC, Julie. "Figures et personnages de la culture nordestine dans la litterature de cordel au Brésil", em *Cadernos do mundo hispânico e luso-brasileiro*, n. 56. Baroja: 1991.

________. "Mémoires en mirior". *Cahiers du Brésil contemporain*, n. 9. 1990.

GRIGNON, Claude & PASSERON, Jean-Claude. "A propos des cultures populaires". *Cadernos do Cercon*, n. 9. Marselha: CNRS, Universidade de Nice, EHESS, abr. 1985.

MORTAIGNE, Véronique. "Poètes-reporters et menteurs professionnels", em *Le monde*, 30 dez. 1995.

RIMBAUD, Arthur. *Uma temporada no inferno & Iluminações*, trad. Lêdo Ivo, 3ª ed. Rio de Janeiro: Francisco Alves, 1981.

ROY, Claude. *Tresór de la poésie populaire*. Paris: Seghers, s.d.

HISTÓRIA DE ALADIM E A LÂMPADA MARAVILHOSA

Na cidade de Bagdá
Quando ela antigamente
Era a cidade mais rica
Das terras do Oriente
Deu-se um caso fabuloso
Que apavorou muita gente

Nessa cidade morava
Uma viúva de bem
Paciente e muito pobre
Não possuía um vintém
Dentro da sua choupana
Sem falar mal de ninguém

Vivia bem satisfeita
Nessa pobreza sem fim
Tendo só um filho único
Com o nome de Aladim
Que apesar de ser travesso
Ninguém lhe achava ruim

Aquele belo garoto
Tinha um leal coração
Mas fugia do trabalho
Buscando a vadiação
Era a mãe que trabalhava
Para fornecer-lhe o pão

Aladim não trabalhava
Seu emprego era brincar
E a sua mãe empregada
Em uma roca a fiar
Atrás de ganhar o pão
Para o filho sustentar

Aladim um certo dia
Pensando na sua vida
Achou que estava fazendo
Uma existência perdida
De causar muito desgosto
À sua mamãe querida

Chegando-se a ela disse
Um tanto contrariado:
Mamãe, perdoe os desgostos
Que eu já tenho lhe causado
Garanto que hoje em diante
Hei de viver empregado

Saiu em busca da praça
Atrás de colocação
Agradou muito a viúva
Aquela resolução
Deu-lhe naquele momento
A sua santa bênção

Da África tinha chegado
Por aquele mesmo ano
Um velho misterioso
De aspecto desumano
A quem o povo chamava:
"O feiticeiro africano"

Era um grande necromante
Que de tudo conhecia
Com o segredo da arte
De sua feitiçaria
Viu que perto de Bagdá
Um grande tesouro havia

Mediante a vara mágica
De força prodigiosa
Soube ele que ali havia
Uma gruta misteriosa
Onde se achava escondida
Uma lâmpada maravilhosa

Esta lâmpada tinha um gênio
Que obedecia a ela
Aparecia vexado
Quando se apertava nela
Pronto para obedecer
A quem fosse dono dela

Porém a lâmpada da gruta
Não havia quem tirasse
Só se fosse uma pessoa
Que o segredo ignorasse
O velho andava à procura
Dum homem que o ajudasse

O feiticeiro africano
Com Aladim se encontrou
Dos modos do rapazinho
Ele muito se agradou
Aproximando-se dele
Desta forma lhe falou:

Se quiser eu lhe protejo
Faça o favor de me ouvir
Lhe farei feliz e rico
Se com gosto me servir
Não sofrerá mais pobreza
Durante enquanto existir

Aladim lhe respondeu:
Disponha do seu criado
Estarei às suas ordens
Pra fazer qualquer mandado
Contanto que o senhor
Me deixe recompensado

Inda disse o africano:
Tenha confiança em mim;
Foi depressa em uma loja
Trouxe uma peça de brim
E de especial fazenda
Trajou-se o moço Aladim

Se afastaram da cidade
Cada qual mais satisfeito
Até que ambos chegaram
Num vale bastante estreito
Foi nesse dito lugar
Onde parou o sujeito

O vale era situado
Entre dois morros sem fim
Ali o velho parou
E olhando pra Aladim
Com frases autoritárias
Lhe foi ordenando assim:

Junta os raminhos secos
Que naquela árvore tem
E ponha fogo nos mesmos
Não temas, escuta bem
Irás agora ver coisa
Jamais vista por ninguém

Aladim queimando os ramos
O velho se aproximou
Sua vara de condão
Pelo ar ele vibrou
E ali certos perfumes
Sobre o fogo derramou

O moço ficou imóvel
Prestando bem atenção
Quando naquele momento
Ouviu-se um grande trovão
Começando a terra abrir-se
Na mesma ocasião

Aladim morto de medo
Olhava assombradamente
O pobre que até ali
Ainda estava inocente
Notou que dum feiticeiro
Achava-se dependente

Ali tratou de correr
Deixando o seu camarada
Mas de surpresa o velho
Deu-lhe uma grande mancada
Que o mesmo caiu por terra
Sem dar sentido de nada

O feiticeiro gritou-lhe:
Miserável criatura!
Tu não me juraste fé?
Não quebres a tua jura
Tira aquela grande pedra
Ali daquela abertura

Na pedra havia ligado
Um anel de ferro grosso
No qual pegou com as mãos
O obediente moço
Que com o menor impulso
Moveu o grande colosso

Quando ele tombou a pedra
De onde ela estava encerrada
Viu-se uma cova medonha
Aonde tinha uma escada
Aladim daquilo tudo
Não compreendia nada

O feiticeiro ordenou-lhe:
Agora tens de descer
Já que me juraste fé
Tu tens que me obedecer:
E pegou a ensinar-lhe
Como devia ser

Primeiro tu passarás
Por três salas asseadas
Que de preciosidades
Acham-se todas ornadas
E por um belo clarão
Todas três iluminadas

Passe por todas depressa
Sejas correto, Aladim
E bem na terceira sala
Quando chegares no fim
Verás uma porta ao lado
Que entra para um jardim

No centro deste jardim
Encontrarás com certeza
Um belo pórtico de mármore
Feito com muita beleza
Em um nicho desse pórtico
Tem uma lâmpada acesa

Segura nela de leve
Depois de ter apagado
Derrama dela o azeite
E voltarás bem apressado
Fazendo como lhe digo
Serás bem recompensado

Para maior segurança
Leva este anel contigo
Que é de grande vantagem
Pois com verdade lhe digo
Ele tem o poder mágico
De afugentar o perigo

O moço no mesmo instante
Botou o anel no dedo
E desceu pela escada
Nada lhe causava medo
Curioso por saber
Aquele grande segredo

Passou por tudo depressa
Como lhe fora ordenado
Quando ele entrou no jardim
Ficou muito admirado
Olhando a grande beleza
Daquele sítio encantado

A passarada cantava
Tudo ali mostrava um riso,
Aladim ficou pasmado
Pensando que de improviso
Por um sonho havia sido
Transportado ao Paraíso

Encontrou naquele sítio
Toda sorte de fruteiras
O vento soprava brando
Entre as esbeltas mangueiras
Sussurrando mansamente
Nos galhos das laranjeiras

Bem no centro do jardim
O tal nicho ele encontrou
Do qual tirando a lâmpada
Com cuidado a apagou
E derramando o azeite,
Na algibeira guardou

E saiu pelo jardim
Andando mui distraído
Do feiticeiro africano
Estava quase esquecido
Ligando pouca importância
Do que tinha prometido

Das fruteiras do jardim
Quando ele um fruto tirava
De repente o mesmo fruto
Em vidro se transformava
Mas ele não se importando
Na algibeira os guardava

Quando encheu as algibeiras
De frutos que ali achou
E de mais preciosidades
Que no jardim encontrou
Para a porta de entrada
Alegremente voltou

O velho sem paciência
Olhou da boca da fenda
Chamando por Aladim
Gritando com voz horrenda:
Anda depressa, maldito
Dá-me logo essa encomenda!

Aladim não respondeu
Ouviu e ficou calado
Do feiticeiro africano
Queria ficar vingado
Devido à grande pancada
Que este havia lhe dado

Tornou o velho a gritar:
Dá-me a lâmpada, Aladim
O moço lhe respondeu:
Mestre, não se vexe assim
Descei para examinardes
As belezas do jardim

O feiticeiro africano
Vendo que estava logrado
Fechou a boca da gruta
Raivoso desesperado
Deixando o pobre Aladim
Na caverna sepultado

Proferindo maldições
O velho se retirou
E naquele mesmo dia
Para África embarcou.
Vamos tratar de Aladim
Que na caverna ficou

O pobre Aladim ficou
Em triste situação
A cova que até ali
Se achava em belo clarão
Tornou-se um ermo esquisito
De medonha escuridão

Três dias ele passou
Errando na cova escura
Sem achar naquele ermo
Uma pequena abertura
Sofrendo com paciência
Sua cruel desventura

No fim do terceiro dia
Quase não podendo andar
Veio-lhe naquela hora
A lembrança de rezar
Ali mesmo ajoelhou-se
E começou a orar

No momento em que ele
Fazia a sua oração
Casualmente moveu-se
Na presente ocasião
O anel que ele trazia
No dedo mínimo da mão

Em mover o dito anel
Que tinha no dedo seu
De uma bela claridade
Aquela gruta se encheu
E uma visão horrenda
Junto dele apareceu

Essa visão era um gênio
Que o anel obedecia
Se movendo ele no dedo
O gênio aparecia
E tudo que se mandasse
Ele depressa fazia

A visão chegou e disse:
Menino, não tenhas medo
Que eu sou o gênio escravo
Do anel que tens no dedo
O que mandar-me que eu faça
Eu te farei muito cedo

Aladim aproveitando
Aquela oportunidade
Disse ao gênio: sendo assim
Leva-me para a cidade
À casa de minha mãe
É esta a minha vontade

Apenas o moço tinha
Tais frases pronunciado
Pra cidade de Bagdá
Foi depressa transportado
Em casa de sua mãe
Chegou bastante cansado

Por causa dos sofrimentos
Que na caverna passava
Chegou mais morto que vivo
Porque com fome se achava
Pois já fazia três dias
Que ele não se alimentava

Sua mãe bastante aflita
Vendo o seu sofrimento
Foi buscar a toda pressa
Um pouquinho de alimento
Ele saciando a fome
Cobrou de novo o alento

Depois que o moço Aladim
Tinha comido e bebido
Adquirindo de novo
O seu esforço perdido
Contou logo a sua mãe
O que tinha acontecido

A sua mãe no princípio
Quase nada acreditou
Mas quando os frutos de vidro
E a lâmpada ele mostrou
Da sua história toda
Ela nada duvidou

Aladim disse: eu agora
Vou estas coisas vender
Para ver se algum dinheiro
Com elas posso obter
E assim mais alguns dias
Teremos de que viver

Disse a velha: para isso
Não acharás comprador
Somente esta lâmpada velha
Pode ter algum valor
Vou limpá-la para dar-lhe
Um preço superior

Assim que a viúva estava
Esse trabalho fazendo
Apareceu de repente
Um gênio alto e horrendo
Que com um gesto espantoso
Foi desta forma dizendo:

Eu sou o gênio da lâmpada
Pois vivo sujeito a ela
Disposto a obedecer
A quantos pegarem nela
O que quiseres que eu faça
Farei com toda cautela

A viúva ouvindo isto
Deu-lhe logo um passamento
Aladim pegou na lâmpada
Aproveitando o momento
Para exigir do gênio
O que tinha no pensamento

Disse Aladim para o gênio:
Se tu vens me obedecer
Se és escravo da lâmpada
Mostra-me o teu poder
Trazendo-me alguma coisa
Com que possa me manter

Quando o moço declarou
Qual era o desejo seu
O gênio escutando tudo
Uma palavra não deu
Numa nuvem de fumaça
Dali desapareceu

Desapareceu o gênio
Depois voltou pressuroso
Com uma porção de pratos
De metal mui precioso
Que vinham todos compostos
De alimento saboroso

Trazia mais outros vasos
Cheios de vinho excelente
Antes porém que Aladim
Lhe visse mais claramente
Pousou tudo sobre a mesa
E fugiu rapidamente

O moço chamou a velha
Com gesto amoroso e ledo
Dizendo: mamãe, acorda
Nada aqui lhe causa medo
Que foi descoberto agora
Da lâmpada o grande segredo

Quando a velha despertou
Sentiu medonha surpresa
Aladim lhe contou tudo
E para maior surpresa
Ela viu em sua sala
A comida sobre a mesa

Dali em diante Aladim
Quando uma coisa queria
Apertava a sua lâmpada
E o gênio aparecia
O que o moço ordenasse
Ele depressa fazia

Assim viveu alguns anos
Em completa liberdade
Gozando com sua mãe
Perfeita felicidade
Procurando fazer parte
Da alta sociedade

Passando um dia em frente
Do palácio do sultão
Viu uma linda princesa
De uma rara perfeição
Aladim sentiu por ela
A mais ardente paixão

Tinha o nome de Clarice
Esta linda criatura
Olhos meigos atraentes
Lábios cor-de-rosa pura
Era o retrato de Vênus
A deusa da formosura

Quando ele chegou em casa
Um pouco impressionado
Contou logo a sua mãe
O que havia passado
Que pela bela Clarice
Achava-se apaixonado

A mãe pensou que seu filho
Tinha perdido o juízo
Aconselhou-o ternamente
Com o mais doce sorriso
Temendo aquela impressão
Causar algum prejuízo

Ele então lhe respondeu:
Eu não estou a brincar
Quero que vá ao sultão
A fim de solicitar
A sua querida filha
Para comigo casar

Leve os frutos que colhi
Lá no jardim encantado
Pois eles não são de vidro
Como tínhamos pensado
E sim, pedras preciosas
Dum valor mais sublimado

Entrega ao nobre sultão
Este sublime presente
Ele vendo este tesouro
Ficará muito contente
E assim o que desejo
Obterei facilmente

Dentro de um vaso de ouro
O qual chamava atenção
A velha botou as pedras
Com a maior precaução
E logo seguiu em busca
Do palácio do sultão

Chegou ela no palácio
Decentemente trajada
Porém só no fim do dia
Lhe concederam entrada
No quartel do soberano
Entrou bastante acanhada

Foi até o pé do trono
Chegando ali se prostrou
E levantou-se somente
Quando o sultão lhe ordenou
E com palavras severas
Depressa lhe perguntou:

Aqui neste meu palácio
O que vieste buscar?
A matrona respondeu-lhe:
Venho vos solicitar
A vossa filha Clarice
Pra com meu filho casar

O sultão ouvindo aquilo
Riu-se indiferentemente
Mas quando ela entregou-lhe
O magnífico presente
Quase que morre de espanto
Não coube em si de contente

Disse muito admirado:
Agora sei com certeza
Que teu filho é um senhor
Duma raríssima grandeza
Que possa dispor assim
De tão sublime riqueza

Volta para tua casa
Vai a ele prevenir
Que com gosto o casamento
Eu poderei consentir
Se mandar-me com urgência
O que eu vou exigir

Se por vinte escravos pretos
E vinte brancas de cor
Me mandar quarenta vasos
Dum esmerado primor
Todos cheios de ouro e pedras
Do mais sublime valor

Assim que o moço Aladim
Recebeu aquele recado
Agradeceu a viúva
Falando com muito agrado
Pelo serviço de amor
Que ela havia lhe prestado

Dizia ele contente:
Muito obrigado, senhora
Com a princesa Clarice
Eu hei de casar-me agora
O que o sultão deseja
Arranjarei sem demora

Às doze horas da noite
Levou a lâmpada na mão
Pra uma extensa praça
De prolongada amplidão
Que ficava bem na frente
Do palácio do sultão

Chegando ali apertou
A lâmpada maravilhosa
Quando chegou de repente
A visão misteriosa
Perguntando o que queria
Com sua voz estrondosa

O moço Aladim fitando
A poderosa visão
A qual nunca lhe faltava
Com a sua proteção
Foi logo lhe declarando
Os desejos do sultão

Quero que com muita pressa
Desempenhe este mandado
Quero também nesta praça
Um palácio edificado
Como nenhum sobre a terra
Já tenha sido encontrado

Apenas o moço tinha
Tais frases pronunciado
Viu diante dos seus olhos
Um palácio edificado
Mais belo e bonito ainda
Do que tinha imaginado

Ele entrou naquele prédio
Com grande admiração
Viu os quarenta escravos
Que estavam de prontidão
Com as preciosidades
Exigidas do sultão

O sultão no outro dia
Contemplava da janela
Aquele grande edifício
De arquitetura tão bela
Dizendo nunca ter visto
Obra semelhante àquela

Assustou-se quando soube
Que o grande personagem
Dono daquele palácio
De admirável vantagem
Estava se preparando
Pra lhe render homenagem

Mandou logo convidar
Os ministros da cidade
E formou no seu palácio
Grandíssima sociedade
Pra receber Aladim
Que vinha com brevidade

Acompanhado da velha
Mais tarde ele apareceu
Com o maior regozijo
O sultão os recebeu
De palmas, bravos e vivas
Todo o palácio se encheu

Aladim assim que foi
No palácio introduzido
Mandou logo os seus criados
Que ali os tinha trazido
Entregarem os presentes
Que o sultão tinha exigido

Na tarde do mesmo dia
Celebrou-se o casamento
No palácio do sultão
Um soberbo ajuntamento
Felicitava os noivos
Cheio de contentamento

Casou-se o moço Aladim
Com a princesa Clarice
Gozando do casto amor
Daquela flor de meiguice
Sem pensar que a desventura
Contra ele inda surgisse

Mas enquanto ele gozava
A união conjugal
O feiticeiro africano
Em sua terra natal
Tramava grandes maldades
A fim de fazer o mal

Este velho um certo dia
Mandou seus gênios no ar
Pra da morte de Aladim
Melhor se certificar
Saber se a lâmpada mágica
Inda estava em seu lugar

Os gênios quando voltaram
Disseram ao velho então
Que Aladim em Bagdá
Era o genro do sultão
E ocupava na cidade
Uma alta posição

Disseram mais que Aladim
Belo palácio habitava
Ao lado de sua esposa
A quem ternamente amava
E a lâmpada maravilhosa
Em seu poder se encontrava

O velho sabendo disso
Muito raivoso ficou
Em direção de Bagdá
Com raiva se encaminhou
Em traje dum ambulante
Naquela cidade entrou

Certo dia em que o sultão
E Aladim foram à caça
O feiticeiro chegou
Bem disfarçado na praça
Com cesto de lâmpadas novas
Pra fazer sua trapaça

O maldito macumbeiro
Soube seu plano formar
Bem na frente do palácio
Começou ele a gritar:
Quem é que tem lâmpada velha
Para por nova trocar?

A princesa que se achava
Na janela debruçada
Lembrou-se de uma lâmpada
Já velha inutilizada
No quarto de seu marido
Onde se achava guardada

Correu às pressas buscá-la
E disse a uma criada:
Leve-a ao pobre tolo
Pra ser por outra trocada
Que parece gostar muito
De lâmpada inutilizada

A princesa não sabia
Que lâmpada era aquela
E não podia estimar
O valor que tinha ela
Porque seu marido nunca
Tinha lhe falado nela

A negra levou a lâmpada
Ao feiticeiro entregou
Ele foi logo apertando-a
Ali o gênio chegou
Dizendo com voz tremenda:
Às tuas ordens estou

O malfazejo africano
Foi logo dizendo assim:
Quero ver este palácio
Com a mulher de Aladim
E todos os seus escravos
Na África, no meu jardim

Ouviu-se um forte trovão
Que a cidade estremeceu
No mesmo instante o palácio
Do seu lugar se moveu
E girando pelo espaço
Logo desapareceu

Quando o sultão e o genro
Ambos voltaram da caça
Acharam o povo todo
Chorando a grande desgraça
Que há poucas horas havia
Se dado naquela praça

Disse o sultão a seu genro:
Veja se póde arranjar
Com que o palácio volte
Com tudo a este lugar
Ou dentro em pouquinhos dias
Eu te mando degolar

E botou o pobrezinho
Em uma triste enxovia
Onde não tinha licença
De ver o clarão do dia
Mas o verdadeiro herói
Com paciência sofria

O infeliz Aladim
Quando se achou na prisão
Veio-lhe grande desejo
De fazer uma oração
Pedindo a seu Deus Alá
Sua grande proteção

Quando ele estava rezando
Suplicando humildemente
O anel que tinha no dedo
Moveu repentinamente
Ali a prisão se encheu
De um clarão resplandecente

Essa grande claridade
Deu-lhe um prazer sem fim
Depois veio uma visão
Que foi lhe dizendo assim:
Sou o escravo do anel
O que desejas de mim?

Disse Aladim: se vieste
Me livrar da cruel morte
Nesta tal situação
De ti exijo um transporte
No lugar onde estiver
A minha boa consorte

O gênio agarrando ele
Rapidamente o levou
No salão do seu palácio
Na África ele se achou
A sua querida esposa
Chorosamente encontrou

Disse ela: meu bom esposo
Meu sofrimento é sem par
O feiticeiro africano
Quer comigo se casar
Oh! Se eu não consentir
Ele manda me matar!

Disse Aladim: se console
Vou aventurar a sorte
Pois trago comigo um vaso
Contendo um veneno forte
Que o ente que bebê-lo
Não escapará da morte

Encha com este veneno
O copo do feiticeiro
Que o velho há de bebê-lo
Por seu excelente cheiro
E assim veremos logo
O seu dia derradeiro

Por trás de uma cortina
Oculto Aladim ficou
Depois dum quarto de hora
O feiticeiro chegou
Era a hora do jantar
Da mesa se aproximou

Durante aquele jantar
A mulher ofereceu
O copo ao velho africano
Ele com gosto bebeu
Depois caiu no sofá
No mesmo instante morreu

O velho caindo morto
Aladim correu ligeiro
Tirou-lhe do bolso a lâmpada
E disse mui prazenteiro:
Hoje o feitiço virou
Por cima do feiticeiro

Então apertando a lâmpada
Viu logo o gênio surgir
E transportar o palácio
Sem ele abalo sentir
Em sua terra natal
Foi de novo residir

Dali em diante Aladim
Bem descansado viveu
Depois de dois ou três anos
O velho sultão morreu
Foi ele o único herdeiro
De tudo que era seu

Ele ficou sendo dono
Da riqueza fabulosa
Gozando da companhia
Da sua esposa bondosa
Sem precisar do auxílio
Da lâmpada maravilhosa

Aquele velho africano
Na sua feitiçaria
Trabalhava com cuidado
Outro não lhe competia
Nada valeu no seu mal
Indo habitar afinal
O gelo da terra fria

Porque a negra ambição
Atrasa sem compaixão
Traz consigo a maldição
Amamentando a desgraça
Tira o dinheiro do nobre
Ilude a gana do pobre
Vê do indigente o cobre
A ambição onde passa

O PADRE HENRIQUE E O DRAGÃO DA MALDADE

Sou um poeta do mato
Vivo afastado dos meios
Minha rude lira canta
Casos bonitos e feios
Eu canto meus sentimentos
E os sentimentos alheios

Sou caboclo nordestino
Tenho mão calosa e grossa,
A minha vida tem sido
Da choupana para roça,
Sou amigo da família
Da mais humilde palhoça

Canto da mata frondosa
A sua imensa beleza,
Onde vemos os sinais
Do pincel da natureza,
E quando é preciso eu canto
A mágoa, a dor e a tristeza

Canto a noite de são João
Com toda sua alegria,
Sua latada de folha
Repleta de fantasia
E canto o pobre que chora
Pelo pão de cada dia

Canto o crepúsculo da tarde
E o clarão da linda aurora,
Canto aquilo que me alegra
E aquilo que me apavora
E canto os injustiçados
Que vagam no mundo afora

E, por falar de injustiça
Traidora da boa sorte
Eu conto ao leitor um fato
De uma bárbara morte
Que seu deu em Pernambuco
Famoso Leão do Norte

Primeiro peço a Jesus
Uma santa inspiração
Para escrever estes versos
Sem me afastar da razão
Contando uma triste cena
Que faz cortar coração

Falar contra as injustiças
Foi sempre um dever sagrado
Este exemplo precioso
Cristo deixou registrado
Por ser reto e justiceiro
Foi no madeiro cravado

Por defender os humildes
Sofreu as mais cruéis dores
E ainda hoje nós vemos
Muitos dos seus seguidores
Morrerem barbaramente
Pelas mãos dos malfeitores

Vou contar neste folheto
Com amor e piedade
Cujo título encerra
A mais penosa verdade:
O padre Antonio Henrique
E o dragão da maldade

O padre Antonio Henrique
Muito jovem e inteligente
A 27 de maio
Foi morto barbaramente,
No ano 69
Da nossa era presente

Padre Henrique tinha apenas
29 anos de idade,
Dedicou sua vida aos jovens
Pregando a santa verdade
Admirava a quem visse
A sua fraternidade

Tinha três anos de padre
Depois que ele se ordenou
Pregava a mesma missão
Que Jesus Cristo pregou
E foi por esse motivo
Que o dragão lhe assassinou

Surgiu contra padre Henrique
Uma fúria desmedida
Ameaçando a Igreja
Porque estava decidida
Conscientizando os jovens
Sobre os problemas da vida

Naquele tempo o Recife
Grande bonita cidade
Se achava contaminada
Pelo dragão da maldade,
A rancorosa mentira
Lutando contra a verdade

Nesse clima de tristeza
Os dias iam passando
Porém nosso padre Henrique
Sempre a verdade explicando
E ameaças contra a Igreja
Chegavam de vez em quando

Por causa do seu trabalho
Que só o que é bom almeja
O espírito da maldade
Que tudo estraga e fareja
Fez tristes acusações
Contra d. Hélder e a Igreja

Com o fim de atemorizar
O apóstolo do bem
Chegavam cartas anônimas
Com insulto e com desdém,
Porém quem confia em Deus
Jamais temeu a ninguém

Anônimos telefonemas
Com assuntos de terror
Chegavam constantemente
Cheios de ódio e rancor
Contra padre Henrique, o amigo
Da paz, da fé e do amor

Os ditos telefonemas
Faziam declaração
De matar trinta pessoas
Sem ter dó nem compaixão
Que tivessem com d. Hélder
Amizade ou ligação

Veja bem leitor amigo
Quanto é triste esta verdade
O que defende os humildes
Mostrando a luz da verdade
Vai depressa perseguido
Pelo dragão da maldade

Mas o ministro de Deus
Possui o santo dever
De estar ao lado dos fracos,
Suas causas defender
Não é só salvar a alma
Também precisa comer

Os poderosos não devem
Oprimir de mais a mais,
A justiça é para todos
Vamos lutar pela paz
Ante os direitos humanos
Todos nós somos iguais

A Igreja de Jesus
Nos oferece orações
Mas também precisa dar
Aos humildes instruções
Para que possam fazer
Suas reivindicações

Veja meu caro leitor,
A maldade o quanto é:
O padre Henrique ensinava
Cheio de esperança e fé,
Aquelas mesmas verdades
De Jesus de Nazaré

E foi por esse motivo
Que surgiu a reação,
Foi o instinto infernal
Com a fúria do dragão,
Que matou o nosso guia
De maior estimação

A 27 de maio,
O santo mês de Maria
No ano 69
A natureza gemia
Por ver o corpo de um padre
Morto sobre a terra fria

Naquele dia de luto
Tudo se achava mudado,
Parece até que o Recife
Se mostrava envergonhado
Por ver que um triste segredo
Estava a ser revelado

Rádio, TV e jornais,
Nada ali noticiaram
Porque as autoridades
Estas verdades calaram
E o padre Antonio Henrique
Morto no mato encontraram

Estava o corpo do padre
De faca e bala furado,
Também mostrava ter sido
Pelo pescoço amarrado
Provando que antes da morte
Foi bastante judiado

No mato estava seu corpo
Em situação precária:
Na região do lugar
Cidade Universitária
Foi morto barbaramente
Pela fera sanguinária

Por aquele mesmo tempo
Muitos atos agravantes
Surgiram lá no Recife
Contra os jovens estudantes
Que devem ser no futuro
Da pátria representantes

Invadiram o Diretório
Estudantil, um recinto
Universidade Católica
De Pernambuco e, não minto,
Foi atingido por bala
O estudante Cândido Pinto

Foi sequestrado e foi preso
O estudante Cajá
O encerramento no cárcere
Passou um ano por lá
Meu Deus! A democracia
Deste país onde está?

Cajá o dito estudante
Pessoa boa e benquista,
Pra viver com os pequenos
Deixou de ser carreirista
E por isto o mesmo foi
Taxado de comunista

Será que ser comunista
É dar ao fraco instrução,
Defendendo os seus direitos
Dentro da justa razão,
Tirando a pobreza ingênua
Das trevas da opressão?

Será que ser comunista
É mostrar certeiros planos
Para que o povo não viva
Envolvido nos enganos
E possa se defender
Do jogo dos desumanos?

Será que ser comunista
É saber sentir as dores
Da classe dos operários,
Também dos agricultores
Procurando amenizar
Horrores e mais horrores?

Tudo isto, leitor, é truque
De gente sem coração
Que, com o fim de trazer
Os pobres na sujeição,
Da palavra comunismo
Inventa um bicho-papão

Porém a Igreja dos pobres
Fiel se comprometeu,
Cada um tem o direito
De defender o que é seu,
Para quem segue Jesus
Nunca falta um Cirineu

Mostrando a mesma verdade
De Jesus na Palestina
O movimento se estende
Contra a opressão que domina
Sobre os nossos irmãos pobres
De toda América Latina

Quando Jesus Cristo andou
Pregando sua missão
Falou sobre a igualdade,
Fraternidade e união,
Não pode haver injustiças
Na sua religião

Por este motivo a Igreja
Nova posição tomou
Dentro da América Latina
A coisa agora mudou,
O bom cristão sempre faz
Aquilo que Deus mandou

É justo por excelência
O Autor da Criação,
Devemos amar a Deus
Por direito e gratidão,
Cada um tem o dever
De defender seu irmão

Por isto, os nossos pastores
Trilham penosas estradas
Observando de Cristo
Suas palavras sagradas,
Trabalhando em benefício
Das classes desamparadas

Declarando dessa forma
A santa luz da verdade
Para que haja entre todos
Amor e fraternidade
E boa organização
Dentro da sociedade

Pois vemos o estudante
Pelo poder perseguido,
Operário, agricultor,
O nosso índio querido
E o negro? Pobre coitado!
É o mais desprotegido

Vendo a medonha opressão
Que vem do instinto profano,
Me vem à mente o que disse
O grande bardo baiano
O Poeta dos Escravos
Apelando ao Soberano

Senhor Deus dos desgraçados
Dizei-me vós, Senhor Deus,
Se é mentira, se é verdade
Tanto horror perante os céus

Meu caro leitor desculpe
Esta falta que cometo,
Me desviando do assunto
Da história que lhe remeto,
O caso do padre Henrique,
Motivo deste folheto

Se me desviei do ritmo,
Não queira se aborrecer,
É porque as outras coisas
Eu queria lhe dizer,
Pois tudo que ficou dito,
Você precisa saber

Mas, agora lhe prometo
Com bastante exatidão,
Terminar para o amigo
Esta triste narração
Contando tudo direito
Sem sair da oração

Eu disse ao caro leitor
Que foi no mato encontrado
Nosso padre Antonio Henrique
De faca e bala furado,
Agora conto direito
Como ele foi sepultado

Na igreja do Espinheiro
Foi o povo aglomerado
E ao cemitério da Várzea
Foi pelos fiéis levado
O corpo do padre Henrique
Que morreu martirizado

Enquanto o cortejo fúnebre
Ia levando o caixão
Este estribilho se ouvia
Pela voz da multidão:
"Prova de amor maior não há
Que doar a vida pelo irmão"

Treze quilômetros a pé
Levaram o corpo seu
Lamentando lagrimosos
O caso que aconteceu
A morte de um jovem padre
Que pelos jovens morreu

Ia naquele caixão
Quem grande exemplo deixou
Em defesa dos oprimidos
A sua vida entregou
E foi receber no céu
O que na terra ganhou

O corpo ia acompanhado
Em forma de procissão
Com as vozes dos fiéis
Ecoando na amplidão:
"Prova de amor maior não há
Que doar a vida pelo irmão"

A vida do padre Henrique
Vamos guardar na memória
Ele morreu pelo povo,
É bonita a sua história
E foi receber no céu
Sua coroa de glória

Pensando no triste caso
Entristeço e me comovo,
O que muitos já disseram
Eu disse e digo de novo
O padre Henrique é um mártir
Que morreu pelo seu povo

Prezado amigo leitor
Esta dor é minha e sua
De ver morrer padre Henrique
De morte tirana e crua
Porém a Igreja dos pobres
Sua luta continua

Quem da igreja do Espinheiro
Santa casa de oração
Ao cemitério da Várzea
Palmilhar aquele chão
A 27 de maio
Sentirá recordação

Do corpo de um padre jovem
Conduzido em um caixão
E parece ouvir uns versos
Com sonora entoação
"Prova de amor maior não há
Que doar a vida pelo irmão"

EMIGRAÇÃO E AS CONSEQUÊNCIAS

Neste estilo popular
Nos meus singelos versinhos,
O leitor vai encontrar
Em vez de rosas espinhos
Na minha penosa lida
Conheço do mar da vida
As temerosas tormentas
Eu sou o poeta da roça
Tenho mão calosa e grossa
Do cabo das ferramentas

Por força da natureza
Sou poeta nordestino
Porém só conto a pobreza
Do meu mundo pequenino
Eu não sei contar as glórias
Nem também conto as vitórias
Do herói com seu brasão
Nem o mar com suas águas
Só sei contar minhas mágoas
E as mágoas do meu irmão

De contar a desventura
Tenho sobrada razão
Pois vivo de agricultura
Sou camponês do sertão
Sou um caboclo roceiro
Eu trabalho o dia inteiro
Exposto ao frio e ao calor
Sofrendo a lida pesada
Puxando o cabo da enxada
Sem arado e sem trator

Nesta batalha danada,
Correndo pra lá e pra cá
Tenho a pele bronzeada
Do sol do meu Ceará
Mas o grande sofrimento
Que abala o meu sentimento
Que a providência me deu
É saber que há desgraçados
Por esse mundo jogados
Sofrendo mais do que eu

É saber que há muita gente
Padecendo privação
Vagando constantemente
Sem roupa, sem lar, sem pão,
É saber que há inocentes
Infelizes indigentes
Que por esse mundo vão
Seguindo errados caminhos
Sem ter da mãe os carinhos
Nem do pai a proteção

Leitor, a verdade assino
É sacrifício de morte
O do pobre nordestino
Desprotegido da sorte
Como bardo popular
No meu modo de falar
Nesta referência séria
Muito desgostoso fico
Por ver num país tão rico
Campear tanta miséria

Quando há inverno abundante
No meu Nordeste querido
Fica o pobre em um instante
Do sofrimento esquecido
Tudo é graça, paz e riso
Reina um verde paraíso
Por vale, serra e sertão
Porém não havendo inverno
Reina um verdadeiro inferno
De dor e de confusão

Fica tudo transformado
Sofre o velho e sofre o novo
Falta pasto para o gado
E alimento para o povo
E um drama de tristeza
Parece que a natureza
Trata a tudo com rigor
Com esta situação
O desumano patrão
Despede o seu morador

Vendo o flagelo horroroso
Vendo o grande desacato
Infiel e impiedoso
Aquele patrão ingrato
Como quem declara guerra
Expulsa da sua terra
Seu morador camponês
O coitado flagelado
Seu inditoso agregado
Que tanto favor lhe fez

Sem a virtude da chuva
O povo fica a vagar
Como a formiga saúva
Sem folha para cortar
E com a dor que o consome
Obrigado pela fome
E a situação mesquinha
Vai um grupo flagelado
Para atacar o mercado
Da cidade mais vizinha

Com grande necessidade
Sem rancor e sem malícia
Entra a turma na cidade
E sem temer a polícia
Vai falar com o prefeito
E se este não der um jeito
Agora o jeito que tem
É os coitados famintos
Invadirem os recintos
Da feira e do armazém

A fome é o maior martírio
Que pode haver neste mundo,
Ela provoca delírio
E sofrimento profundo
Tira o prazer e a razão
Quem quiser ver a feição
Da cara da mãe da peste,
Na pobreza permaneça,
Seja agregado e padeça
Uma seca no Nordeste

Por causa desta inclemência
Viajam pelas estradas
Na mais cruel indigência
Famílias abandonadas
Deixando o céu lindo e azul
Algumas vão para o Sul
E outras para o Maranhão
Cada qual com sua cruz
Se valendo de Jesus
E do padre Cícero Romão

Nestes medonhos consternos
Sem meios para a viagem
Muitas vezes os governos
Para o Sul dão a passagem
E a faminta legião
Deixando o caro torrão,
Entre suspiros e ais,
O martírio inda mais cresce
Porque quem fica padece
E quem parte sofre mais

O carro corre apressado
E lá no Sul faz "desejo"
Deixando desabrigado
O flagelado cortejo
Que procurando socorro
Uns vão viver pelo morro
Um padecer sem desconte
Outros pobres infelizes
Se abrigam pelas marquises
Outros debaixo da ponte

Rompendo mil empecilhos,
Nisto tudo o que é pior
É que o pai tem oito filhos
E cada qual o menor
Aquele homem sem sossego
Mesmo arranjando um emprego
Nada pode resolver
Sempre na penúria está
Pois o seu ganho não dá
Para a família viver

Assim mesmo, neste estado
O bom nordestino quer
Estar sempre rodeado
Por seus filhos e a mulher
Quanto mais aumenta a dor
Também cresce o seu amor
Por sua prole adorada
Da qual é grande cativo
Pois é ela o lenitivo
De sua vida cansada

A pobre esposa chorosa
Naquele estranho ambiente
Recorda muito saudosa
Sua terra e sua gente
Relembra o tempo de outrora,
Lamenta, suspira e chora
Com a alma dolorida
Além da necessidade
Padece a roxa saudade
De sua terra querida

Para um pequeno barraco
Já saíram da marquise
Mas cada qual o mais fraco
Padecendo a mesma crise,
Porque o pequeno salário
Não dá para o necessário
Da sua manutenção
E além disto falta roupa
E sobre sacos de estopa
Todos dormindo no chão

Naquele ambiente estranho
Continua a indigência
Rigor de todo tamanho
Sem ninguém dar assistência
Aquela família triste
Ninguém vê, ninguém assiste
Com alimento e com veste,
Que além da situação
Padece a recordação
Das coisas do seu Nordeste

Meu leitor, não tenha enfado
Vamos ver mais adiante
Quanto é triste o resultado
Do nordestino emigrante
Quero provar-lhe a carência
O desgosto e a inclemência
Que sofre o pobre infeliz
Que deixa a terra onde mora
E vai procurar melhora
Lá pelo Sul do país

O pobre no seu emprego
Seguindo penosos trilhos
Seu prazer é o aconchego
De sua esposa e seus filhos
Naquele triste penar
Vai outro emprego arranjar
Na fábrica ou no armazém
À procura de melhora
Até que a sua senhora
Tem um emprego também

Se por um lado melhora
Aumentando mais o pão
Por outro lado piora
A triste situação
Pois os garotos ficando
E a vida continuando
Sem os cuidados dos pais
Sozinhos naquele abrigo
Se expõem ao grande perigo
Da vida dos marginais

Eles ficando sozinhos
Logo fazem amizade
Em outros bairros vizinhos
Com garotos da cidade
Infelizes criaturas
Que procuram aventuras
No mais triste padecer
Crianças abandonadas
Que vagam desesperadas
Atrás de sobreviver

Esses pobres delinquentes,
Os infelizes meninos,
Atraem os inocentes
Flagelados nordestinos
E estes com as relações,
Vão recebendo instruções,
Com aqueles aprendendo
E assim, mal acompanhados,
Em breve aqueles coitados
Vão algum furto fazendo

São crianças desvalidas
Que os pais não lhe dão sustento,
As mães desaparecidas
Talvez no mesmo tormento
Não há quem conheça o dono
Desses filhos do abandono,
Que sem temerem perigos,
Vão esmolando, furtando
E às vezes até tomando
O dinheiro dos mendigos

Os pais voltam dos trabalhos
Cansados mas destemidos
E encontram os seus pirralhos
No barraco recolhidos,
O pai dizendo gracejo
Dá em cada qual um beijo
Com amorosos acenos;
Cedo do barraco sai
Não sabe como é que vai
A vida dos seus pequenos

No dia seguinte os filhos
Fazem a mesma viagem
Nos seus costumeiros trilhos
Na mesma camaradagem
Com os mesmos companheiros
Aqueles aventureiros
Que na maior anarquia
Sem terem o que comer
Vão rapinagem fazer
Para o pão de cada dia

Sem já ter feito o seu teste
Em um inditoso dia
Um garoto do Nordeste
Entra em uma padaria
E já com água na boca
E necessidade louca
Se encostando no balcão
Faz mesmo sem ter coragem
A primeira traquinagem
Dali carregando um pão

Volta bastante apressado
O pobre inexperiente
Olhando desconfiado
Para trás e para frente
Mas naquele mesmo instante
Vai apanhado em flagrante
Na porta da padaria
Indo o pequeno indigente
Logo rigorosamente
Levado à delegacia

É aquela a vez primeira
Que o garoto preso vai
Faz a maior berradeira
Grita por mãe e por pai
Mas outros garotos presos
Que já não ficam surpresos
Com história de prisão
Consolam o pequenino
Dando instrução ao menino
Da marginalização

Depois que aquela criança
Da prisão tem liberdade;
Na mesma vida se lança
Pelas ruas da cidade
E assim vai continuando
Aliada ao mesmo bando
Forçados pela indigência
Pra criança abandonada
Prisão não resolve nada
O remédio é assistência

Quem examina descobre
Que é sorte muito infeliz
A do nordestino pobre
Lá pelo Sul do país
A sua filha querida
Às vezes vai iludida
Pelo monstro sedutor
E devido à ingenuidade
Finda fazendo a vontade
Do monstro devorador

Foge do rancho dos pais
E vai vagar pelo mundo
Padecendo muito mais
Nas garras do vagabundo
O pobre pai revoltado
Fica desmoralizado
Com a alma dolorida
Para o homem nordestino
O brio é um dom divino
A honra é a própria vida

Aquele pai fica cheio
De revolta e de rancor
Mas não pode achar um meio
De encontrar o malfeitor
Porém se casualmente
Encontrar o insolente
Lhe dará fatal destino
Pois foi sempre esse o papel
E a justiça mais fiel
Do caboclo nordestino

Leitor, veja o grande azar
Do nordestino emigrante
Que anda atrás de melhorar
Da sua terra distante
Nos centros desconhecidos
Depressa vê corrompidos
Os seus filhos inocentes
Na populosa cidade
De tanta imoralidade
E costumes diferentes

A sua filha querida
Vai pra uma iludição
Padecer prostituída
Na vala da perdição
E além da grande desgraça
Das privações que ela passa
Que lhe atrasa e lhe inflama
Sabe que é preso em flagrante
Por coisa insignificante
Seu filho a quem tanto ama

Para que maior prisão
Do que um pobre sofrer
Privação e humilhação
Sem ter com que se manter?
Para que prisão maior
Do que derramar o suor
Em um estado precário
Na mais penosa atitude
Minando a própria saúde
Por um pequeno salário?

Será que o açoite, as algemas
E um quarto da detenção
Vão resolver o problema
Da triste situação?
Não há prisão mais incrível
Mais feia, triste e horrível
Mais dura e mais humilhante
Do que a de um desgraçado
Pelo mundo desprezado
E do seu berço tão distante

O garoto tem barriga,
Também precisa comer
E a cruel fome lhe obriga
A rapinagem fazer
Se ninguém a ele ajuda
O itinerário não muda
Os miseráveis infantes
Que vivem abandonados
Terão tristes resultados
Serão homens assaltantes

Meu divino redentor
Que pregou na Palestina
Harmonia, paz e amor
Na vossa santa doutrina
Pela vossa mãe querida
Que é sempre compadecida
Carinhosa, terna e boa
Olhai para os pequeninos
Para os pobres nordestinos
Que vivem no mundo à toa

Meu bom Jesus Nazareno
Pela vossa majestade
Fazei que cada pequeno
Que vaga pela cidade
Tenha boa proteção
Tenha em vez de uma prisão
Aquele medonho inferno
Que revolta e desconsola
Bom conforto e boa escola
Um lápis e o caderno

BROSOGÓ, MILITÃO E O DIABO

O melhor da nossa vida
É paz, amor e união
E em cada semelhante
A gente ver um irmão
E apresentar para todos
O papel de gratidão

Quem faz um grande favor
Mesmo desinteressado
Por onde quer que ele ande
Leva um tesouro guardado
E um dia sem esperar
Será bem recompensado

Em um dos nossos estados
Do Nordeste brasileiro
Nasceu Chico Brosogó
Era ele um miçangueiro
Que é o mesmo camelô
Lá no Rio de Janeiro

O Brosogó era ingênuo
Não tinha filosofia
Mas tinha de honestidade
A maior sabedoria
Sempre vendendo ambulante
A sua mercadoria

Em uma destas viagens
Numa certa região
Foi vender mercadoria
Na famosa habitação
De um fazendeiro malvado
Por nome de Militão

O ricaço Militão
Vivia a questionar
Toda sorte de trapaça
Era capaz de inventar
Vendo assim desta maneira
Sua riqueza aumentar

Brosogó naquele prédio
Não apurou um tostão
E como na mesma casa
Não lhe ofereceram pão
Comprou meia dúzia de ovos
Para sua refeição

Quando a meia dúzia de ovos
O Brosogó foi pagar
Faltou dinheiro miúdo
Para a paga efetuar
E ele entregou uma nota
Para o Militão trocar

O rico disse: Eu não troco,
Vá com a mercadoria
Qualquer tempo você vem
Me pagar esta quantia
Mas peço que seja exato
E aqui me apareça um dia

Brosogó agradeceu
E achou o papel importante,
Sem saber que o Militão
Estava naquele instante
Semeando uma semente
Para colher mais adiante

Voltou muito satisfeito
Na sua vida pensando
Sempre arranjando fregueses
No lugar que ia passando
Vendo sua boa sorte
Melhorar de quando em quando

Brosogó no seu comércio
Tinha bons conhecimentos
Possuía com os lucros
Daqueles seus movimentos
Além de casas e terrenos
Meia dúzia de jumentos

De ano em ano ele fazia
Naquele seu patrimônio
Festejo religioso
No dia de santo Antônio
Por ser o aniversário
Do seu feliz matrimônio

No festejo oferecia
Vela para são João
Santo Ambrósio, santo Antônio
São Cosme e são Damião
Para ele qualquer santo
Dava a mesma proteção

Vela para santa Inês
E para santa Luzia
São Jorge e são Benedito
São José e santa Maria
Até que chegava à última
Das velas que possuía

Um certo dia voltando
Aquele bom sertanejo
Da viagem lucrativa
Com muito amor e desejo
Trouxe uma carga de velas
Para queimar no festejo

A casa naquela noite
Estava um belíssimo encanto
Se via velas acesas
Brilhando por todo canto
Porém sobraram três velas
Por faltar nome de santo

Era linda a luminária
O quadro resplandescente
E o caboclo Brosogó
Procurava impaciente
Mas nem um nome de santo
Chegava na sua mente

Disse consigo: o Diabo
Merece vela também
Se ele nunca me tentou
Para ofender a ninguém
Com certeza me respeita
Está me fazendo o bem

Se eu fui um menino bom
Fui também um bom rapaz
E hoje sou pai de família
Gozando da mesma paz
Vou queimar estas três velas
Em tenção do Satanás

Tudo aquilo Brosogó
Fez com naturalidade
Como o justo que apresenta
Amor e fraternidade
E as virtudes preciosas
De um coração sem maldade

Certo dia ele fazendo
Severa reflexão
Um exame rigoroso
Sobre a sua obrigação
Lhe veio na mente os ovos
Que devia ao Militão

Viajou muito apressado
No seu jumento baixeiro
Sempre atravessando rio
E transpondo tabuleiro
Chegou no segundo dia
Na casa do trapaceiro

Foi chegando e desmontando
E logo que deu bom dia
Falou para o coronel
Com bastante cortesia:
Venho aqui pagar a conta
Que fiquei devendo um dia

O Militão muito sério
Falou para Brosogó:
Para pagar esta dívida
Você vai ficar no pó,
Mesmo que tenha recurso
Fica pobre como Jó

Me preste bem atenção
E ouça bem as razões minhas:
Aqueles ovos no choco
Iam tirar seis pintinhas
Mais tarde as mesmas seriam
Meia dúzia de galinhas

As seis galinhas botando,
Veja a soma o quanto dá
São quatrocentos e oitenta
Ninguém me reprovará
Pois a galinha aqui põe
De oito ovos pra lá

Preste atenção Brosogó
Sei que você não censura
Veja que grande vantagem
Veja que grande fartura
E veja o meu resultado
Só na primeira postura

Das quatrocentas e oitenta
Podia a gente tirar
Dos mesmos cento e cinquenta
Para no choco aplicar
Pois basta só vinte e cinco
Que é pra o ovo não gorar

Os trezentos e cinquenta
Que era a sobra eu vendia
Depressa, sem ter demora
Por uma boa quantia
Aqui, procurando ovos
Temos grande freguesia

Dos cento e cinquenta ovos
Sairiam com despacho
Cento e cinquenta pintinhas
Pois tenho certeza e acho
Que aqui no nosso terreiro
Não se cria pinto macho

Também não há prejuízo
Posso falar pra você
Que maracajá e raposa
Aqui a gente não vê
Também não há cobra preta
Gavião, nem saruê

Aqui de certas moléstias
A galinha nunca morre
Porque logo à medicina
Com urgência se recorre
Se o gogó se manifesta
A empregada socorre

Veja bem, seu Brosogó
O quanto eu posso ganhar
Em um ano e sete meses
Que passou sem me pagar,
A conta é de tal maneira
Que eu mesmo não sei somar

Vou chamar um matemático
Pra fazer o orçamento,
Embora você não faça
De uma vez o pagamento
Mesmo com mercadoria,
Terreno, casa e jumento

Porém tenha paciência
Não precisa se queixar,
Você acaba o que tem,
Mas vem comigo morar
E aqui, parceladamente,
Acaba de me pagar

E se achar que estou falando
Contra sua natureza,
Procure um advogado
Pra fazer sua defesa,
Que o meu eu já tenho e conto
A vitória com certeza

Meu advogado é
Um doutor de posição
Pertence à minha política
E nunca perdeu questão
E é candidato a prefeito
Para a futura eleição

O coronel Militão
Com orgulho e petulância
Deixou o pobre Brosogó
Na mais dura circunstância
Aproveitando do mesmo
Sua grande ignorância

Quinze dias foi o prazo
Para o Brosogó voltar
Presente ao advogado
Um documento assinar
E tudo que possuía
Ao Militão entregar

O pobre voltou bem triste
Pensando, a dizer consigo:
Eu durante a minha vida
Sempre fui um grande amigo,
Qual será o meu pecado
Para tão grande castigo?

Quando ia pensando assim
Avistou um cavaleiro
Bem montado e bem trajado
Na sombra de um juazeiro
O qual com modos fraternos
Perguntou ao miçangueiro:

Que tristeza é esta?
Que você tem, Brosogó?
O seu semblante apresenta
Aflição, pesar e dó,
Eu estou ao seu dispor,
Você não sofrerá só

Brosogó lhe contou tudo
E disse por sua vez
Que o coronel Militão
O trato com ele fez
Para às dez horas do dia
Na data quinze do mês

E disse o desconhecido:
Não tenha má impressão
No dia quinze eu irei
Resolver esta questão
Lhe defender da trapaça
Do ricaço Militão

Brosogó foi para casa
Alegre sem timidez,
O que o homem lhe pediu
Ele satisfeito fez
E foi cumprir seu trato
No dia quinze do mês

Quando chegou encontrou
Todo povo aglomerado
Ele entrando deu bom dia
E falou bem animado
Dizendo que também tinha
Achado um advogado

Marcou o relógio dez horas
E sem o doutor chegar
Brosogó entristeceu
Silencioso a pensar
E o povo do Militão
Do coitado a criticar

Os puxa-sacos do rico
Com ares de mangação
Diziam: o miçangueiro
Vai-se arrasar na questão
Brosogó vai pagar caro
Os ovos de Militão

Estavam pilheriando
Quando se ouviu um tropel
Era um senhor elegante
Montado no seu corcel
Exibindo em um dos dedos
O anel de bacharel

Chegando disse aos ouvintes:
Fui no trato interrompido
Para cozinhar feijão
Porque muito tem chovido
E o meu pai em seu roçado
Só planta feijão cozido

Antes que o desconhecido
Com razão se desculpasse
Gritou o outro advogado:
Não desonre a nossa classe
Com essa grande mentira!
Feijão cozido não nasce

Respondeu o cavaleiro:
Esta mentira eu compus
Para fazer a defesa
É ela um foco de luz
Porque o ovo cozinhado
Sabemos que não produz

Assim que o desconhecido
Fez esta declaração
Houve um silêncio na sala
Foi grande a decepção
Para o povo da política
Do coronel Militão

Onde a verdade aparece
A mentira é destruída
Foi assim desta maneira
Que a questão foi resolvida
E o candidato político
Ficou de crista caída

Mentira contra mentira
Na reunião se deu
E foi por este motivo
Que a verdade apareceu
Somente o preço dos ovos
O Militão recebeu

Brosogó agradecendo
O favor que recebia
Respondeu o cavaleiro:
Eu era quem lhe devia
O valor daquelas velas
Que me ofereceu um dia

Eu sou o Diabo a quem todos
Chamam de monstro ruim
E só você neste mundo
Teve a bondade sem fim
De um dia queimar três velas
Oferecidas a mim

Quando disse estas palavras
No mesmo instante saiu
Adiante deu um pipoco
E pelo espaço sumiu
Porém pipoco baixinho
Que o Brosogó não ouviu

Caro leitor nesta estrofe
Não queira zombar de mim
Ninguém ouviu o estouro
Mas juro que foi assim
Pois toda história do diabo
Tem um pipoco no fim

Sertanejo, este folheto
Eu quero lhe oferecer,
Leia o mesmo com cuidado
E saiba compreender,
Encerra muita mentira
Mas tem muito o que aprender

Bom leitor, tenha cuidado,
Vivem ainda entre nós
Milhares de Militões
Com o instinto feroz
Com traçadas e mentiras
Perseguindo os Brosogós

ABC DO NORDESTE FLAGELADO

A – Ai como é duro viver
Nos estados do Nordeste
Quando o nosso Pai Celeste
Não manda a nuvem chover,
É bem triste a gente ver
Findar o mês de janeiro
Depois findar fevereiro
E março também passar
Sem o inverno começar
No Nordeste brasileiro

B – Berra o gado impaciente
Reclamando o verde pasto,
Desfigurado e arrasto
Com o olhar de penitente
O fazendeiro, descrente
Um jeito não pode dar
O sol ardente a queimar
E o vento forte soprando,
A gente fica pensando
Que o mundo vai se acabar

C – Caminhando pelo espaço
Como os trapos de um lençol,
Pras bandas do pôr do sol
As nuvens vão em fracasso;
Aqui e ali um pedaço
Vagando... sempre vagando
Quem estiver reparando
Faz logo a comparação
De umas pastas de algodão
Que o vento vai carregando

D – De manhã, bem de manhã
Vem da montanha um agouro
De gargalhada e de choro
Da feia e triste cauã,
Um bando de ribançã
Pelo espaço a se perder
Pra de fome não morrer
Vai atrás de outro lugar
E ali só há de voltar
Um dia quando chover

E – Em tudo se vê mudança
Quem repara vê até
Que o camaleão que é
Verde da cor de esperança
Com o flagelo que avança
Muda logo de feição
O verde camaleão
Perde a sua cor bonita
Fica de forma esquisita
Que causa admiração

F – Fogo o prazer da floresta
O bonito sabiá,
Quando flagelo não há
Cantando se manifesta
Durante o inverno faz festa
Gorjeando por esporte
Mas não chovendo é sem sorte
Fica sem graça e calado
O cantor mais afamado
Dos passarinhos do Norte

G – Geme de dor, se aquebranta
E dali desaparece
O sabiá só parece
Que com a seca se encanta
Se outro pássaro canta
O coitado não responde;
Ele vai não sei pra onde,
Pois quando o inverno não vem
Com o desgosto que tem
O pobrezinho se esconde

H – Horroroso, feio e mau
De lá de dentro das grotas
Manda suas feias notas
O tristonho bacurau
Canta o João corta-pau
O seu poema numério;
É muito triste o mistério
De uma seca no sertão
A gente tem impressão
Que o mundo é um cemitério

I – Ilusão, prazer, amor
A gente sente fugir,
Tudo parece carpir
Tristeza, saudade e dor
Nas horas de mais calor
Se escuta pra todo lado
O toque desafinado
Da gaita da siriema
Acompanhando o cinema
No Nordeste flagelado

J – Já falei sobre a desgraça
Dos animais do Nordeste;
Com a seca vem a peste
E a vida fica sem graça,
Quanto mais dias se passa
Mais a dor se multiplica
A mata que já foi rica,
De tristeza geme e chora
Preciso dizer agora
O povo como é que fica

L – Lamenta desconsolado
O coitado camponês
Porque tanto esforço fez,
Mas não lucrou seu roçado
Num banco velho, sentado
Olhando o filho inocente
E a mulher bem paciente,
Cozinha lá no fogão
O derradeiro feijão
Que ele guardou pra semente

M – Minha boa companheira,
Diz ele, vamos embora,
E depressa, sem demora
Vende a sua cartucheira,
Vende a faca, a roçadeira,
Machado, foice e facão;
Vende a pobre habitação,
Galinha, cabra e suíno
E viajam sem destino
Em cima de um caminhão

N – Naquele duro transporte
Sai aquela pobre gente
Aguentando paciente
O rigor da triste sorte
Levando a saudade forte
De seu povo e seu lugar
Sem nem um outro falar
Vão pensando em sua vida
Deixando a terra querida
Para nunca mais voltar

O – Outro tem opinião
De deixar mãe, deixar pai,
Porém para o Sul não vai
Procura outra direção,
Vai bater no Maranhão
Onde nunca falta inverno;
Putro com grande consterno
Deixa o casebre e a mobília
E leva sua família
Pra construção do governo

P – Porém lá na construção
O seu viver é grosseiro
Trabalhando o dia inteiro
De picareta na mão
Pra sua manutenção
Chegando dia marcado
Em vez do seu ordenado
Dentro da repartição
Recebe triste ração
Farinha e feijão furado

Q – Quem quer ver o sofrimento
Quando há seca no sertão
Procura uma construção
E entra no fornecimento
Pois, dentro dele, o alimento
Que o pobre tem a comer
a barriga pode encher,
Porém falta a substância
E com esta circunstância
Começa o povo a morrer

R – Raquítica, pálida e doente
Fica a pobre criatura
E a boca da sepultura
Vai engolindo o inocente,
Meu Jesus! Meu Pai Clemente
que da humanidade é dono
Desça do seu alto trono,
Da sua corte celeste
E venha ver seu Nordeste
Como ele está no bandono

S – Sofre o casado e o solteiro
Sofre o velho, sofre o moço
Não tem janta nem almoço
Não tem roupa nem dinheiro
Também sofre o fazendeiro
Que de rico perde o nome,
O desgosto lhe consome
Vendo o urubu esfomeado
Puxando a pele do gado
Que morreu de sede e fome

T – Tudo sofre e não resiste
Este fardo tão pesado,
No Nordeste flagelado
Em tudo a tristeza existe,
Mas a tristeza mais triste
Que faz tudo entristecer
É a mãe, chorosa a gemer
Lágrimas dos olhos correndo,
Vendo seu filho dizendo:
Mamãe, eu quero comer!

U – Um é ver, outro é contar
Quem for reparar de perto
Aquele mundo deserto
Dá vontade de chorar,
Ali só fica a teimar
O juazeiro copado,
O resto é tudo pelado
Da chapada ao tabuleiro,
Onde o famoso vaqueiro
Cantava tangendo o gado

V – Vivendo em grande maltrato,
A abelha zumbindo voa
Sem direção, sempre à toa
Por causa do desacato
À procura de um regato,
De um jardim ou de um pomar
Sem um momento parar,
Vagando constantemente,
Sem encontrar, a inocente,
Uma flor para pousar

X – Xexéu, pássaro que mora
Na grande árvore copada,
Vendo a floresta arrasada,
Bate as asas, vai embora;
Somente o sagui demora,
Pulando a fazer careta,
Na mata tingida e preta
Tudo é aflição e pranto;
Só por milagre de um santo
Se encontra uma borboleta

Z – Zangado contra o sertão
Dardeja o sol inclemente,
Cada dia mais ardente
Tostando a face do chão;
E, mostrando compaixão
Lá do infinito estrelado,
Pura, limpa, sem pecado
De noite a lua derrama
um banho de luz no drama
Do Nordeste flagelado

Posso dizer que cantei
Aquilo que observei;
Tenho certeza que dei
Aprovada relação
Tudo é tristeza e amargura,
Indigência e desventura,
Veja, leitor, quanto é dura
A seca no meu sertão

Edição — Jorge Sallum
Co-edição — Bruno Costa
Capa e projeto gráfico — Júlio Dui e Renan Costa Lima
Programação em LaTeX — Marcelo Freitas
Assistente editorial — Bruno Oliveira
Colofão — Adverte-se aos curiosos que se imprimiu esta obra nas oficinas da gráfica Bandeirantes em 3 de março de 2011, em papel off-set 90 gramas, composta em tipologia Walbaum Monotype de corpo oito a treze e Courier de corpo sete, em plataforma Linux (Gentoo, Ubuntu), com os softwares livres LaTeX, DeTeX, VIM, Evince, Pdftk, Aspell, SVN e TRAC.